春来芳草依旧绿
时到梅花自然红

春联挥毫必备

欧阳询楷书集字春联

沈菊 编

上海书画出版社

#《春联挥毫必备》编委会

主编

王立翔

副主编

程　峰

编委

（按姓氏笔画排序）

王立翔　王　剑　吴志国　吴金花

沈　浩　沈　菊　张杏明　张恒烟

张　忠　郑振华　程　峰　雍　琦

出版说明

『爆竹声中一岁除，春风送暖入屠苏。千门万户曈曈日，总把新桃换旧符。』王安石的《元日》诗描绘了一幅宋代的春节风俗图：燃爆竹、饮屠苏酒、换桃符。然而，早在一千年前的五代后蜀孟昶那里，桃符已以一副书为『新年纳余庆，嘉节号长春』的春联悄悄改变了形式与内涵：鲜艳的红纸取代了长方形桃木板，吉祥的联语取代了『神荼』、『郁垒』的名字或画像，其寓意也由原来的驱邪避灾转向了求安祈福。春节是我国农历年中第一个也是最重要的传统节日，春联在辞旧岁迎新春的同时，也渗进了农业社会人们朴素的生活理想：国泰民安、人寿年丰、家庭和睦、事业顺利。春联对仗的联语不仅是文字的精妙组合与书法的多样呈现，更是人们美好生活祈向的承载。这些生活祈向，虽然穿越古今，却经久不衰，回荡在一代代人的内心深处。作为这些生活祈向的载体，作为从古代派往现代的使者，春联的命运也同样历久弥新。无论大江南北、农村城市，抑或雅俗贵贱、穷达贫富，在喜气盈门的春节里，都不能没有春联的表达与塑造！

我社出版的『春联挥毫必备』系列，集名家名帖之字，成行气贯通之联。一家一帖集成一书，其内容又以类相从编排，不仅从形式到内容上有力地保证了全书的一致性与连贯性，更便于读者有针对性地、分门别类地欣赏、临摹、创作之用。可以说，一编握手中，一切纳眼底，从书法的字体书体，到文字的各种情感表达，及隐藏其后的对生活的深刻理解与美好祈向，都能在本书中找到满意的答案。

上海书画出版社

目录

歡慶佳節到

祝福好運来

上联——欢庆佳节到
下联——祝福好运来

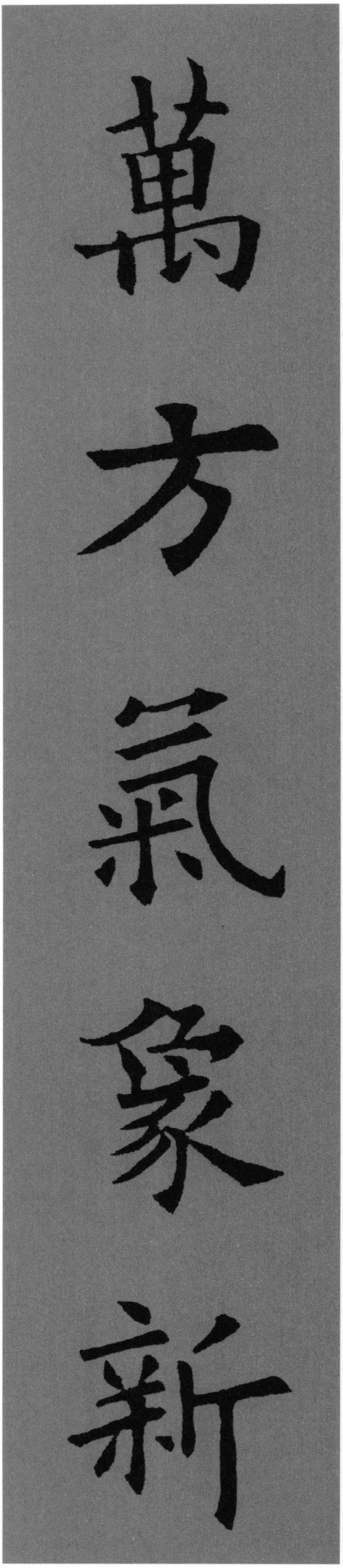

上联—大地风光好
下联—万方气象新

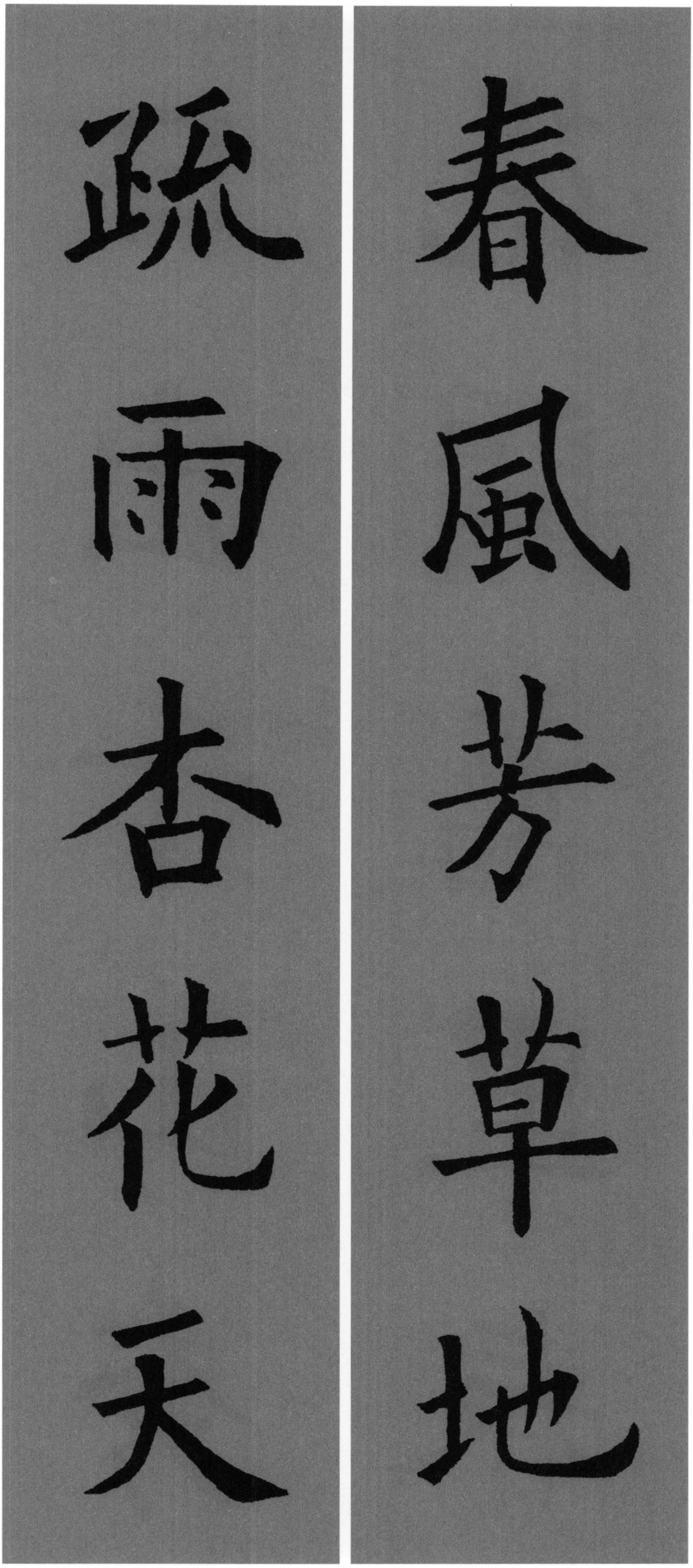

上联—春风芳草地
下联—疏雨杏花天

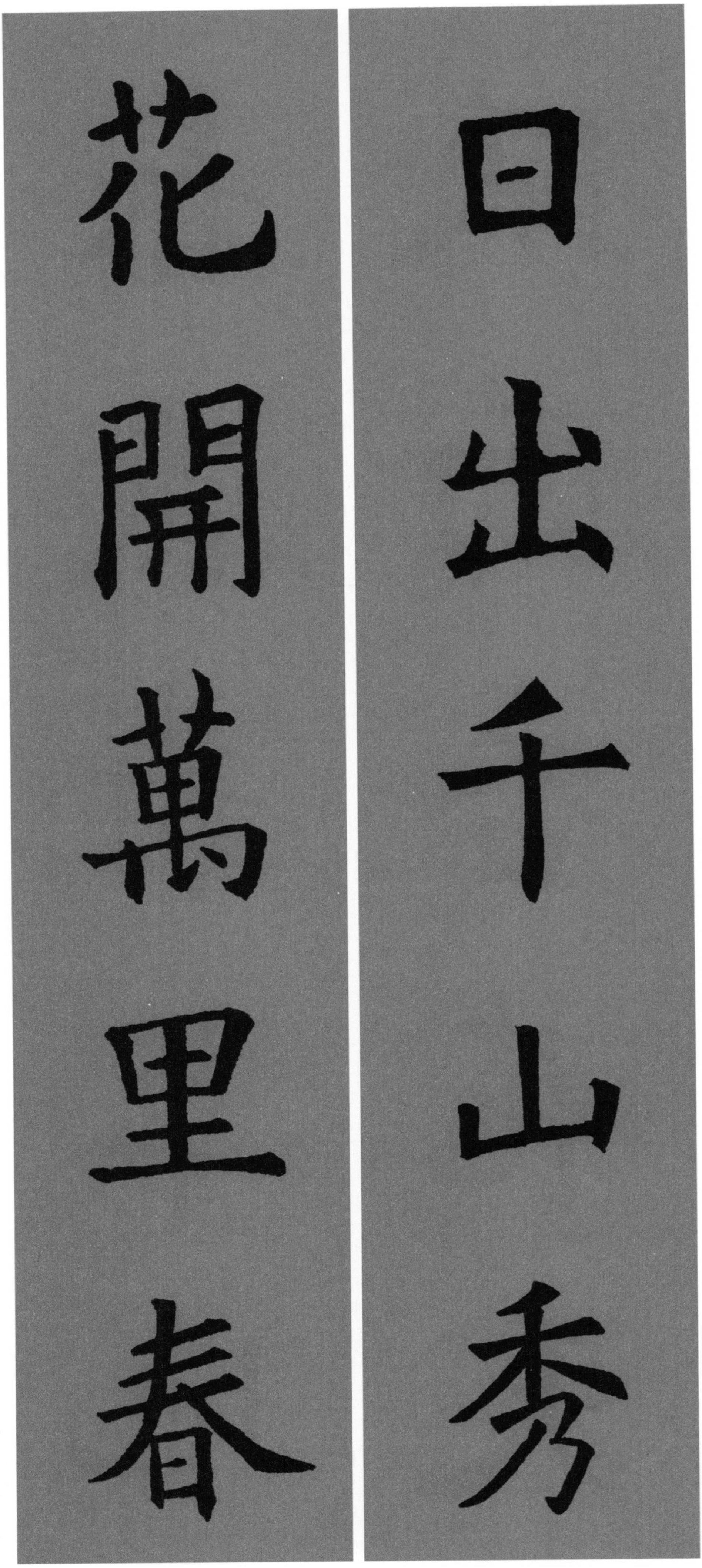

上联—日出千山秀
下联—花开万里香

上联—柳占三春色
下联—花香四座风

瑞凝三秀草

春入萬年枝

上联｜瑞凝三秀草
下联｜春入万年枝

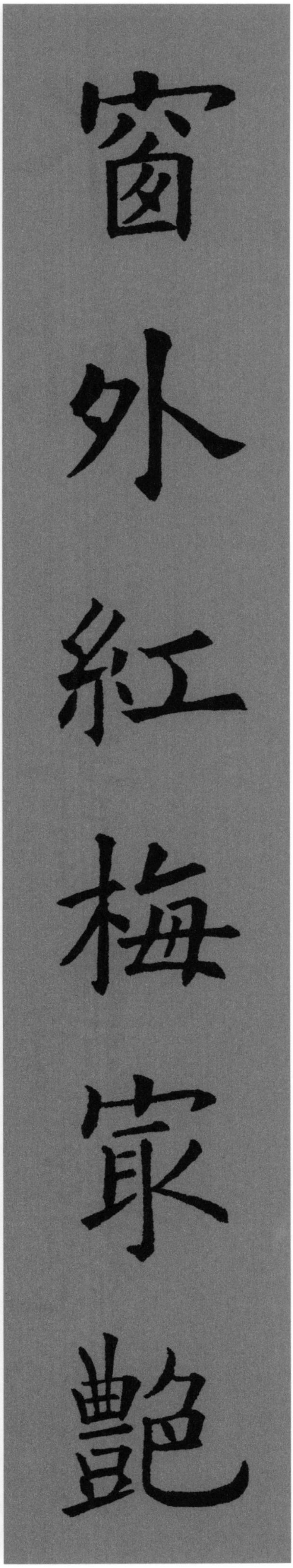

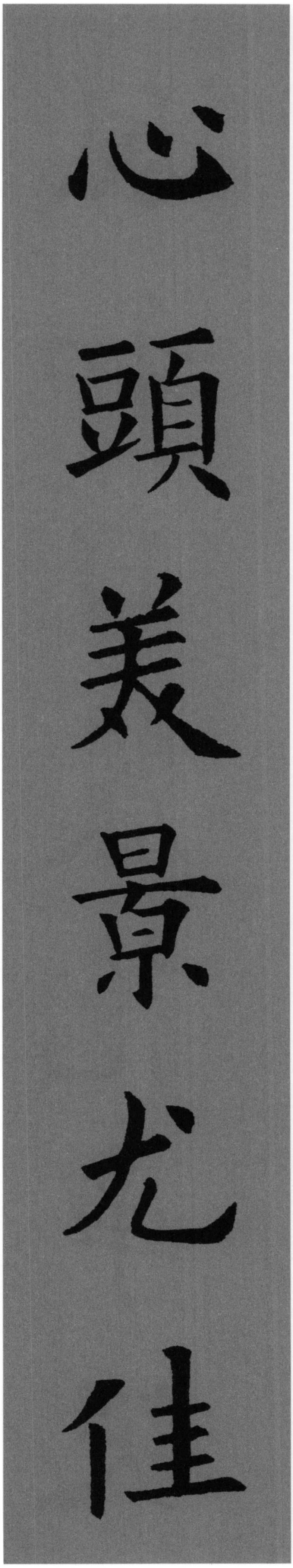

上联—窗外红梅最艳
下联—心头美景尤佳

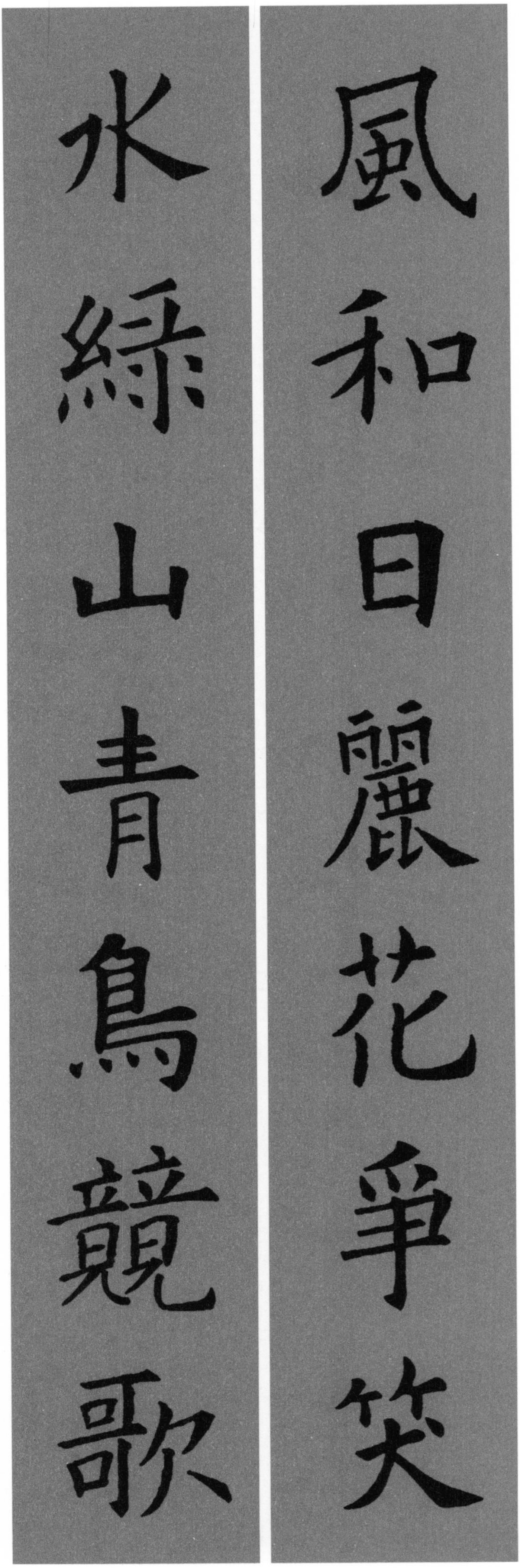
風和日麗花爭笑
水綠山青鳥競歌

上联—风和日丽花争笑
下联—水绿山青鸟竞歌

春来芳草依舊緑

時到梅花自然紅

上联 — 春来芳草依旧绿
下联 — 时到梅花自然红

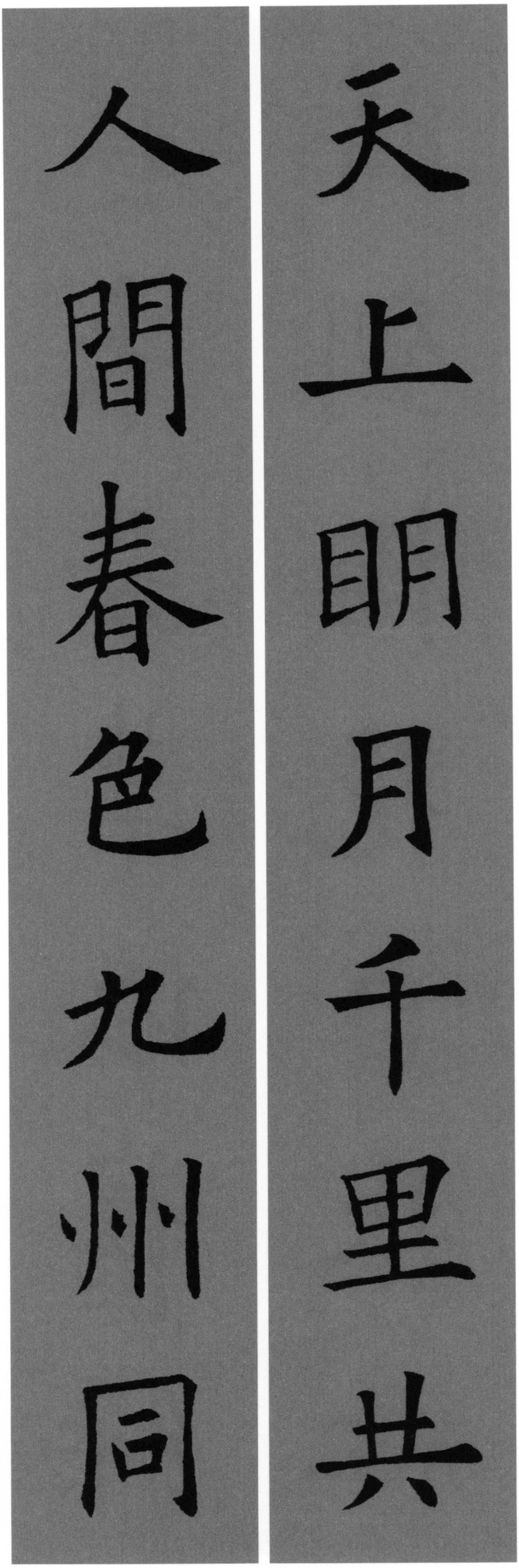
天上明月千里共
人間春色九州同

上联—天上明月千里共
下联—人间春色九州同

春歸大地千山秀

日照神州萬木新

上联—春归大地千山秀

下联—日照神州万木新

春風引紫氣一元復始

大地發春華萬物更新

上联—春风引紫气一元复始
下联—大地发春华万物更新

紅日無私溫暖五湖四海

春風有情暎綠萬水千山

上联—红日无私温暖五湖四海

下联—春风有情映绿万水千山

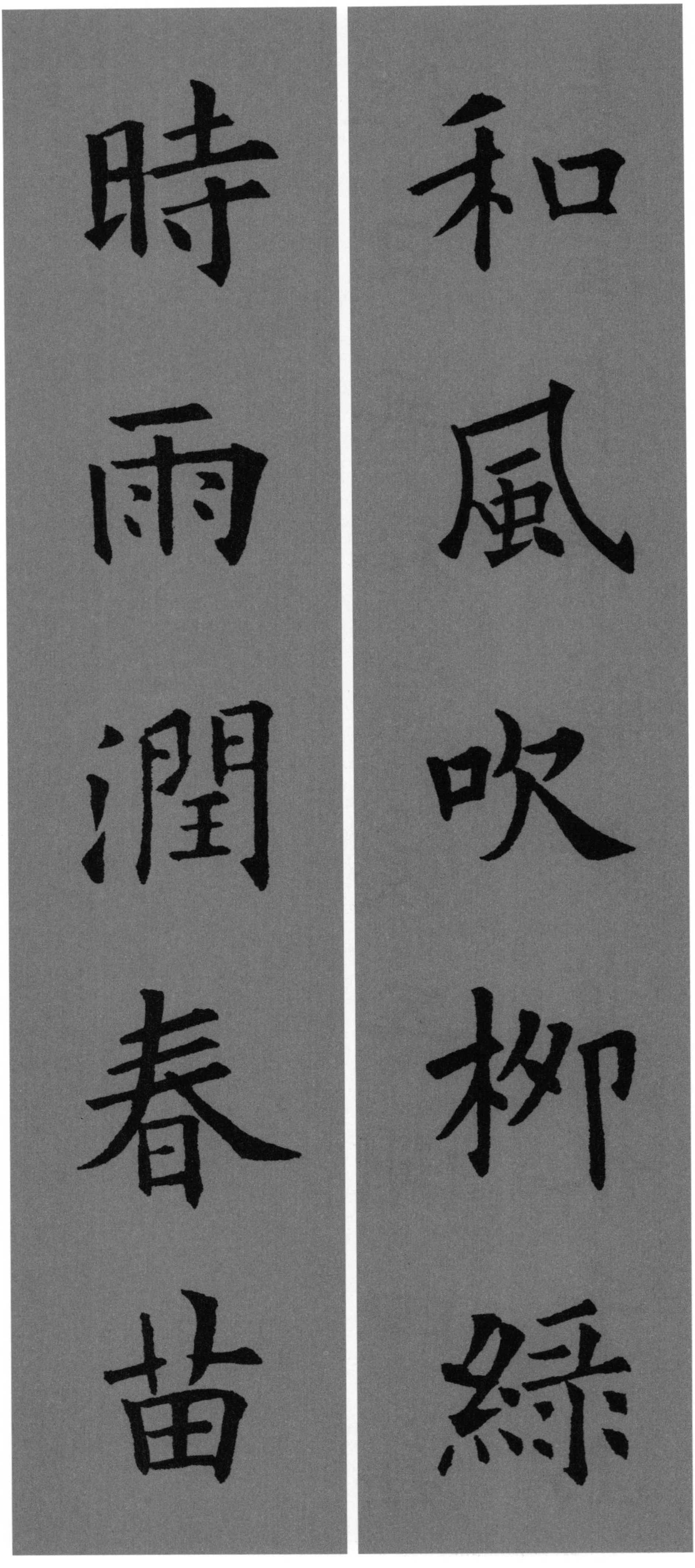

上联—和风吹柳绿
下联—时雨润春苗

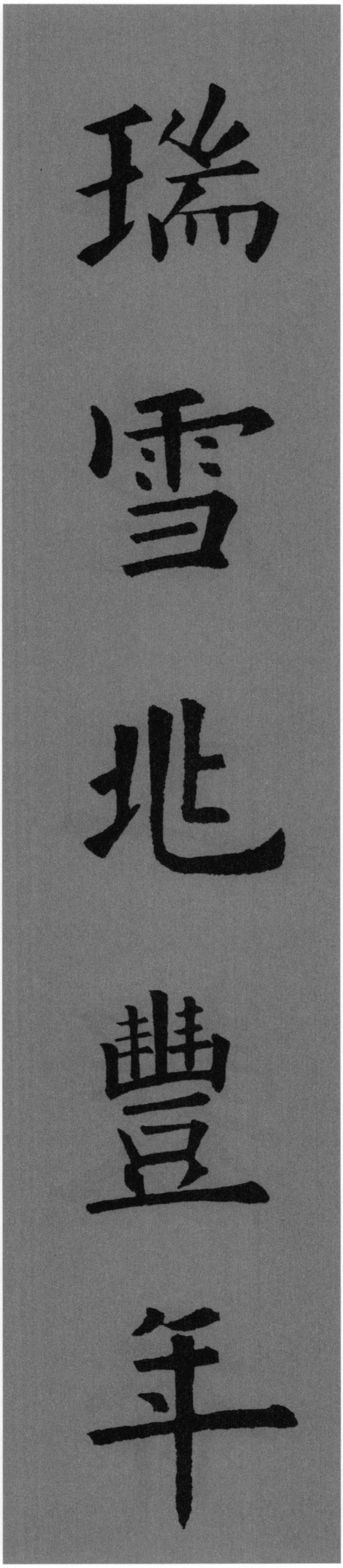

上联—瑞雪兆丰年
下联—红梅报新春

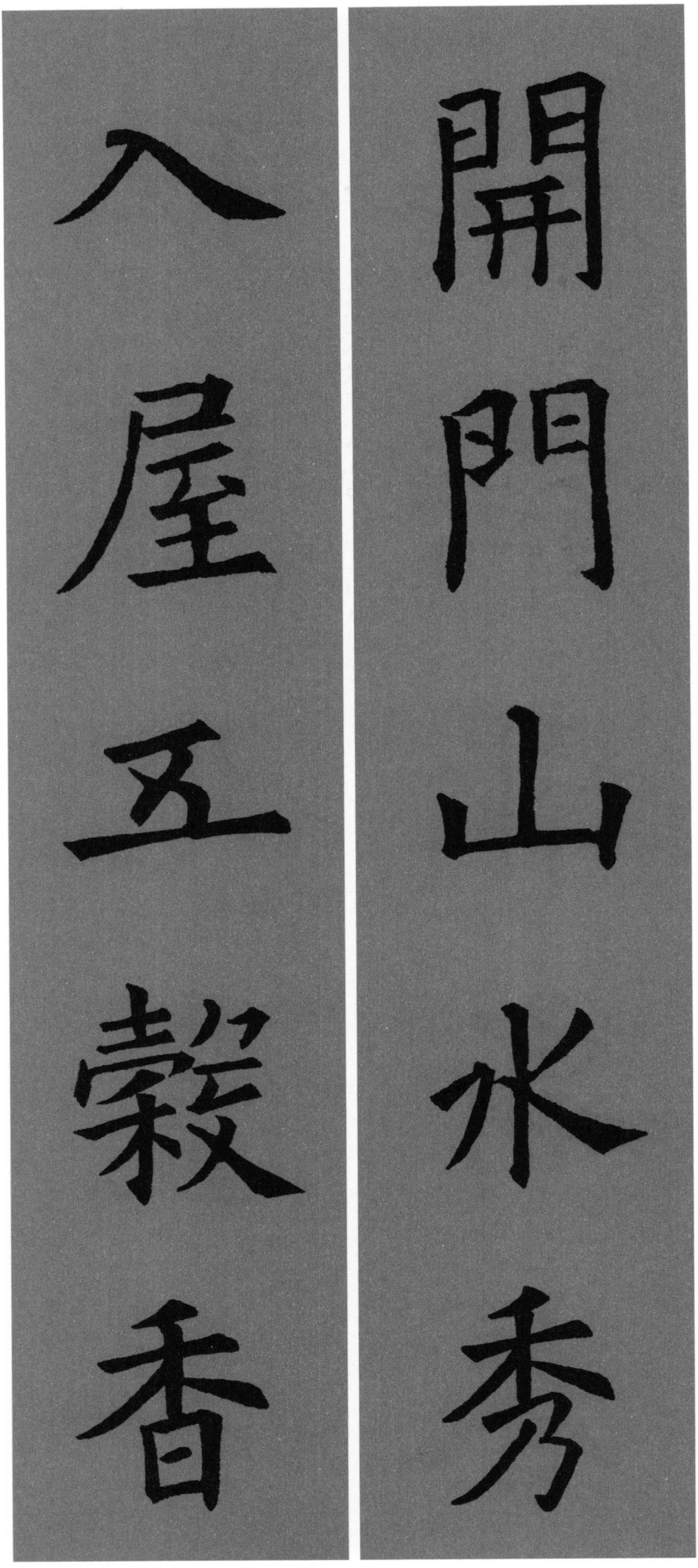

上联—开门山水秀
下联—入屋五谷香

上联一阳春回大地
下联一瑞雪兆丰年

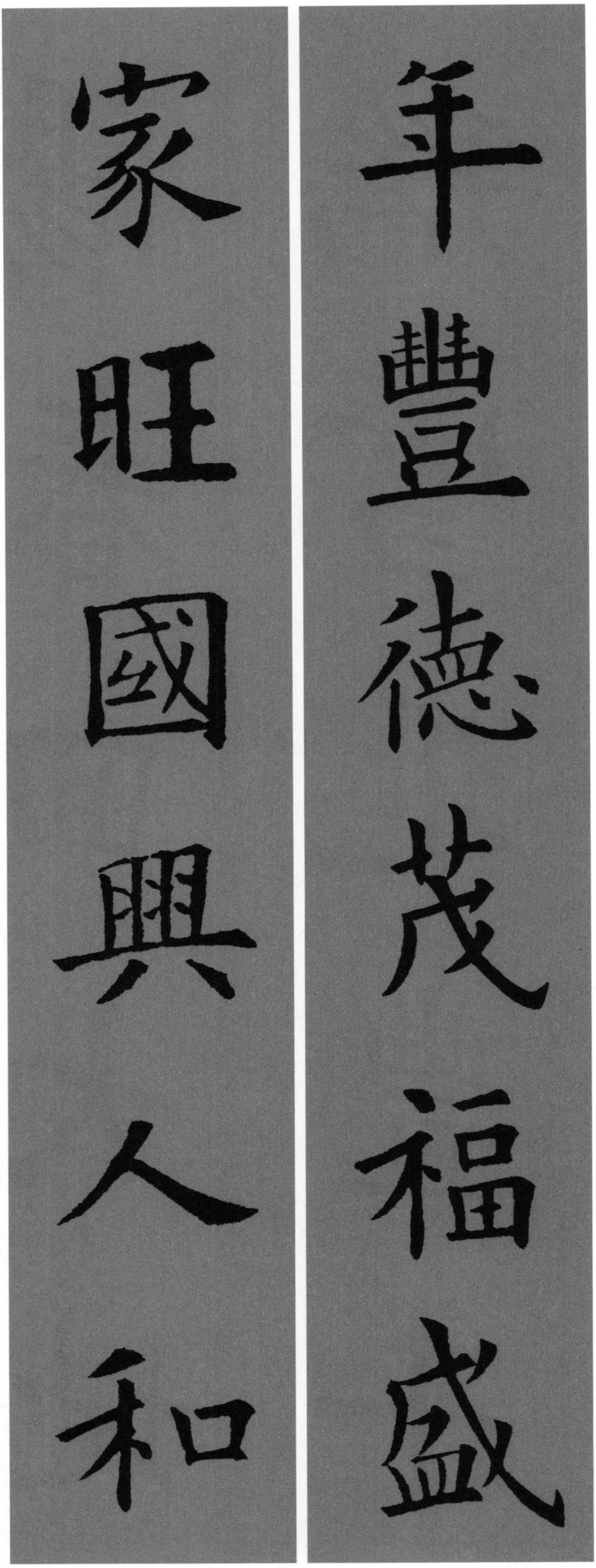
年豐德茂福盛
家旺國興人和

上联—年丰德茂福盛
下联—家旺国兴人和

上联—精耕细作丰收岁
下联—勤俭持家有余年

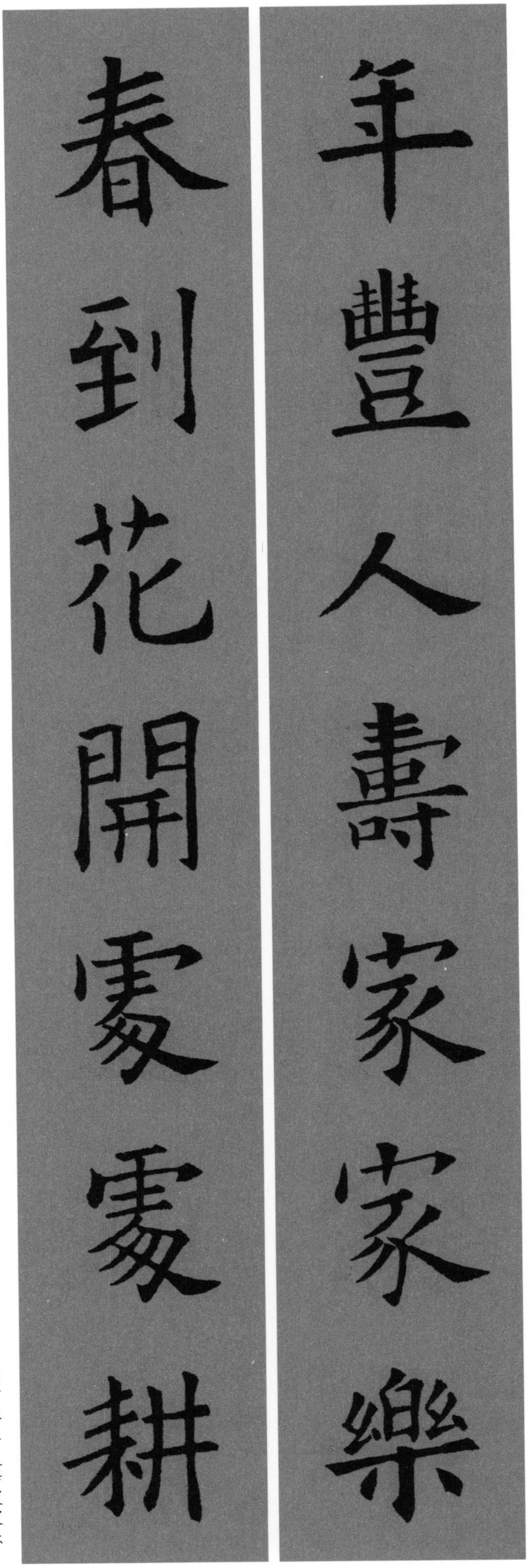
年豐人壽家家樂
春到花開處處耕

上联—年丰人寿家家乐
下联—春到花开处处耕

腊盡春歸山村添喜氣

牛肥馬壯門戶沐春風

上联—腊尽春归山村添喜气

下联—牛肥马壮门户浴春风

紅旗舞東風五湖似畫

瑞雪兆豐年四海皆春

上联—红旗舞东风五湖似画
下联—瑞雪兆丰年四海皆春

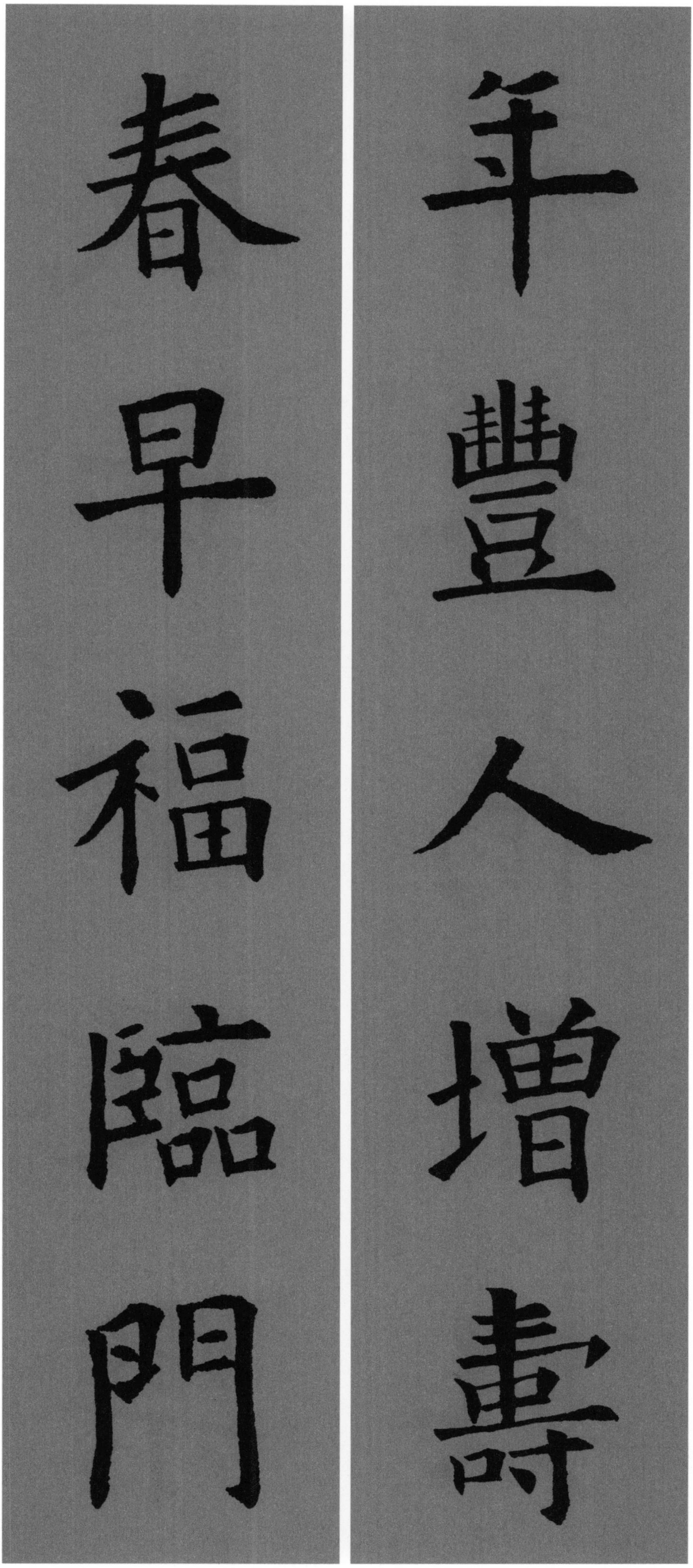

上联｜年丰人增寿
下联｜春早福临门

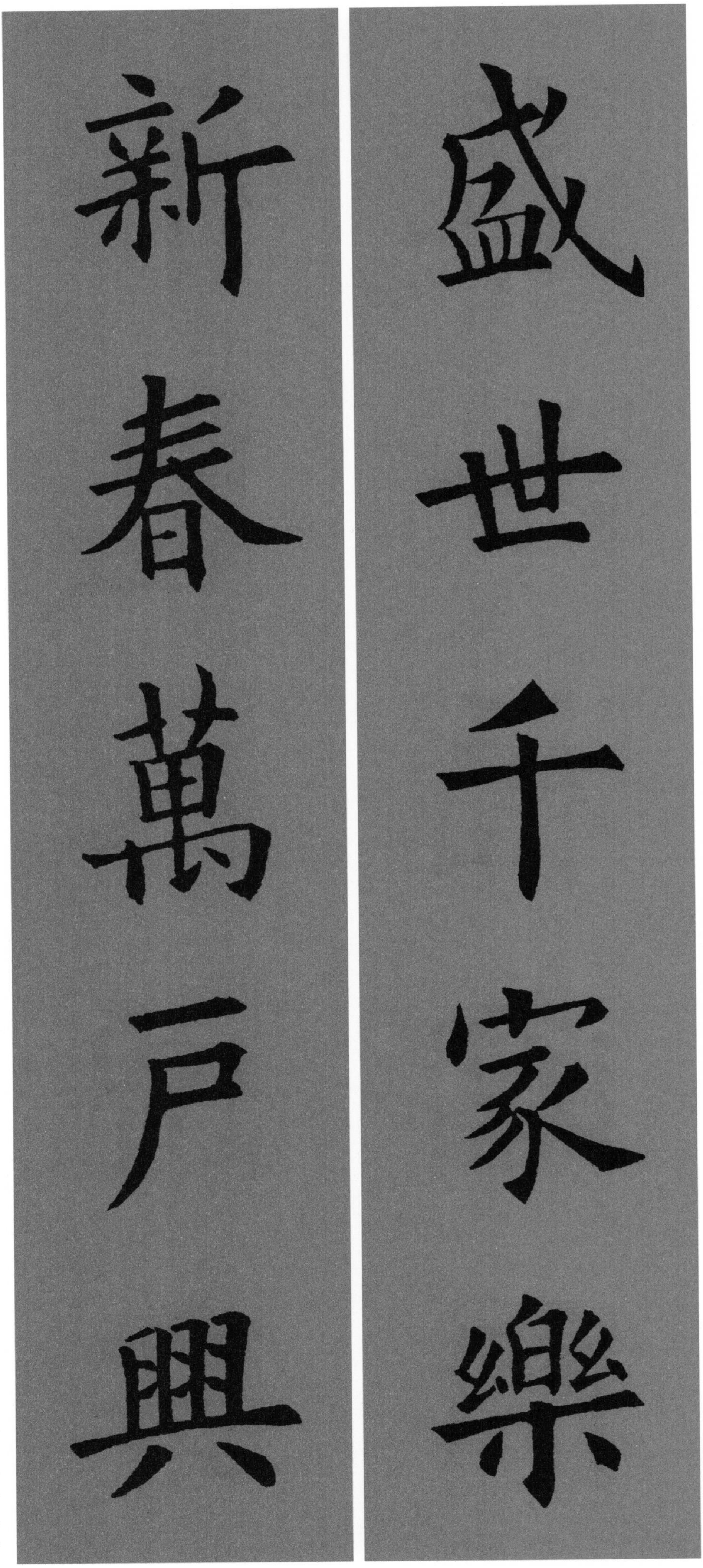

上联—盛世千家乐
下联—新春万户兴

上联—大地千林翠
下联—家园万象新

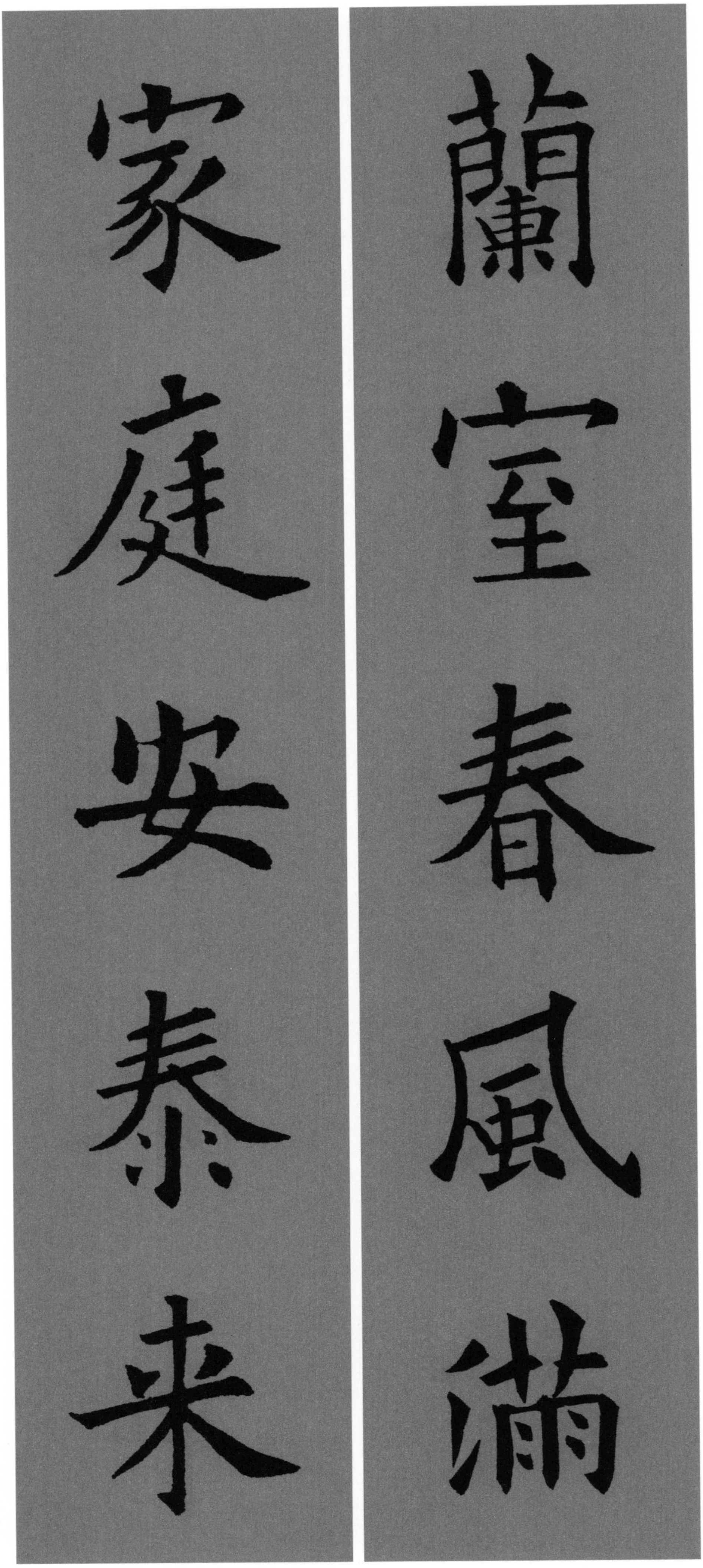

上联一兰室春风满
下联一家庭安泰来

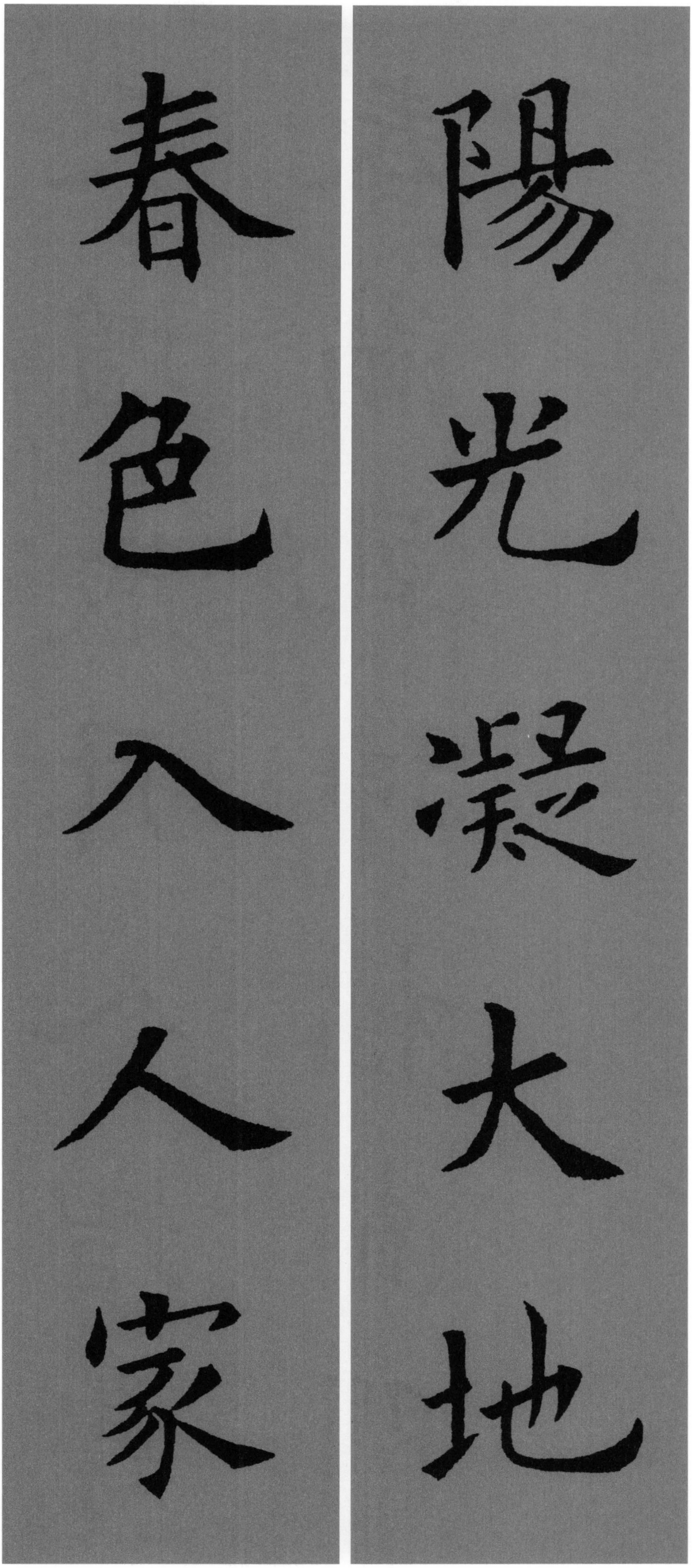

上联—阳光凝大地
下联—春色入人家

天增歲月人增壽

春滿乾坤福滿門

上联—天增岁月人增寿
下联—春满乾坤福满门

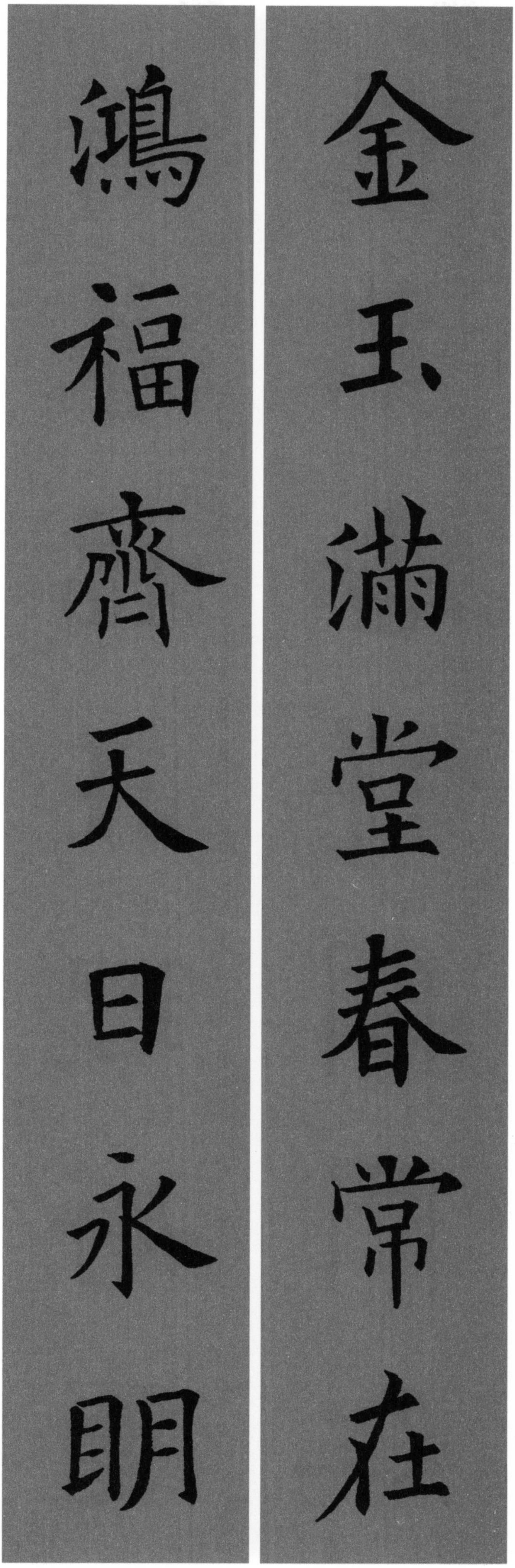

上联—金玉满堂春常在
下联—鸿福齐天日永明

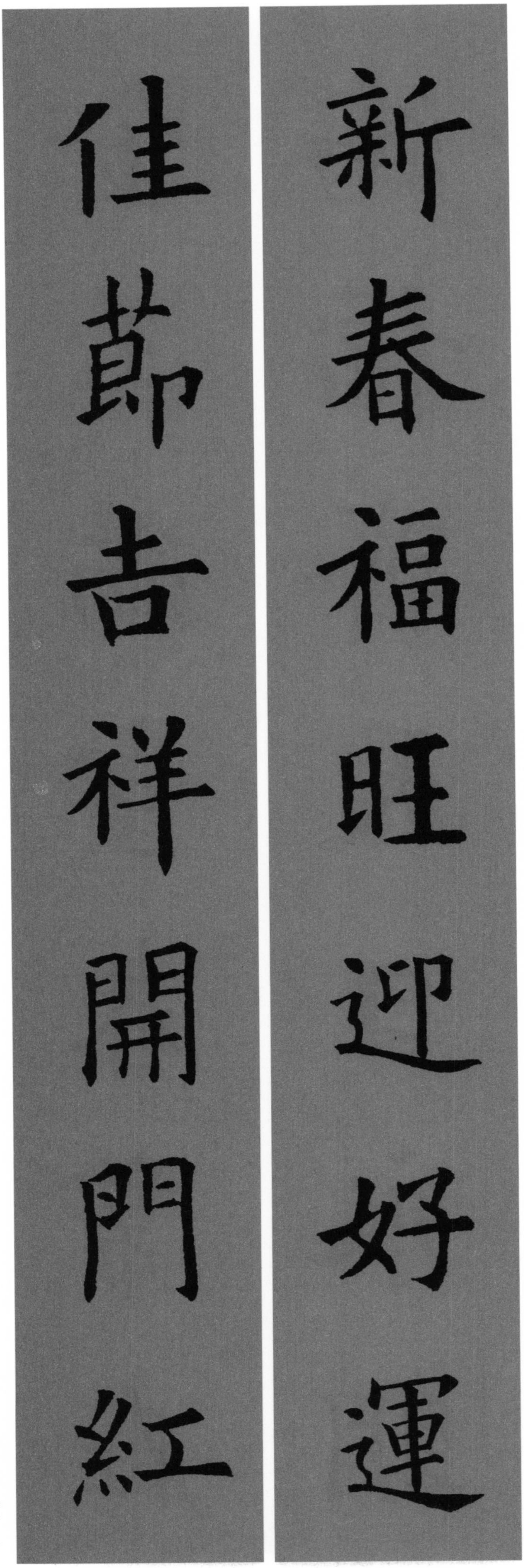

上联：新春福旺迎好运
下联：佳节吉祥开门红

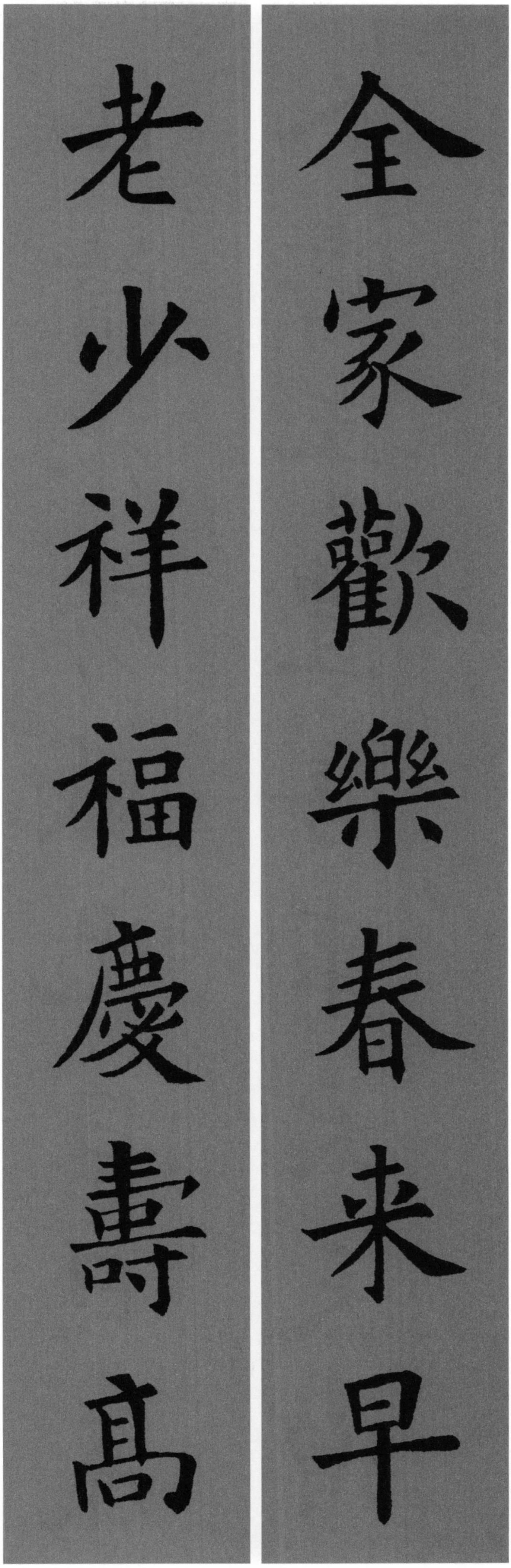
全家歡樂春来早
老少祥福慶壽高

上联—全家欢乐春来早
下联—老少祥福庆寿高

上联—山清水秀风光日日丽
下联—人寿年丰喜事天天增

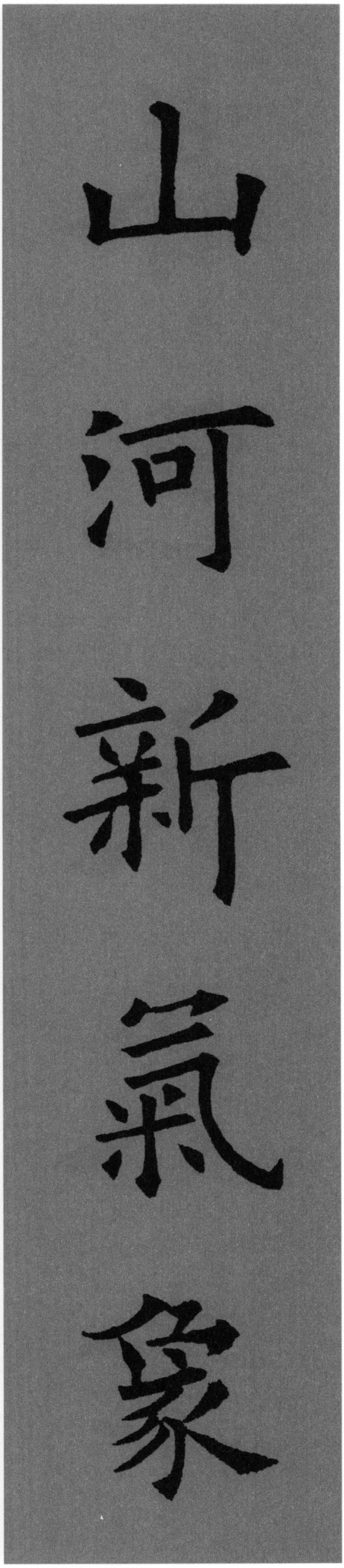

上联—山河新气象
下联—诗礼旧家声

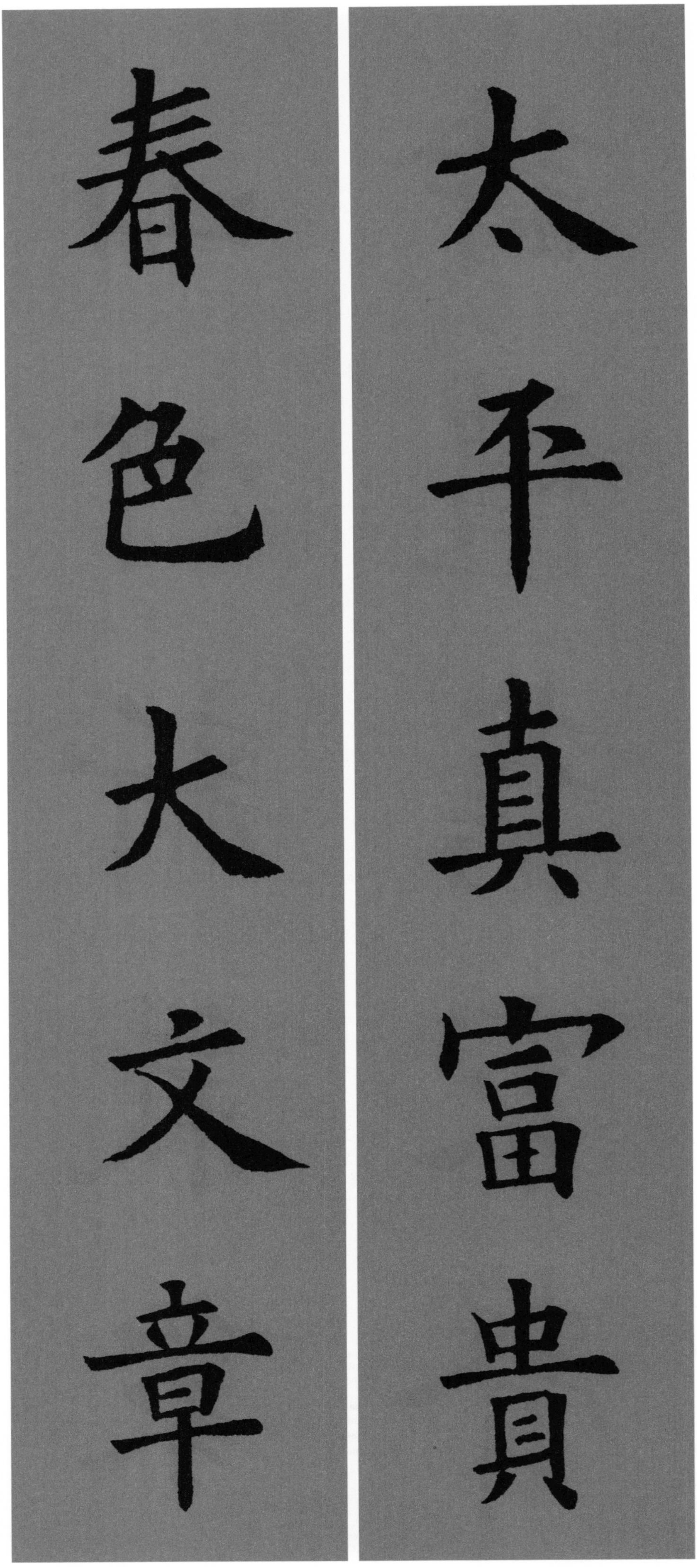

上联—太平真富贵
下联—春色大文章

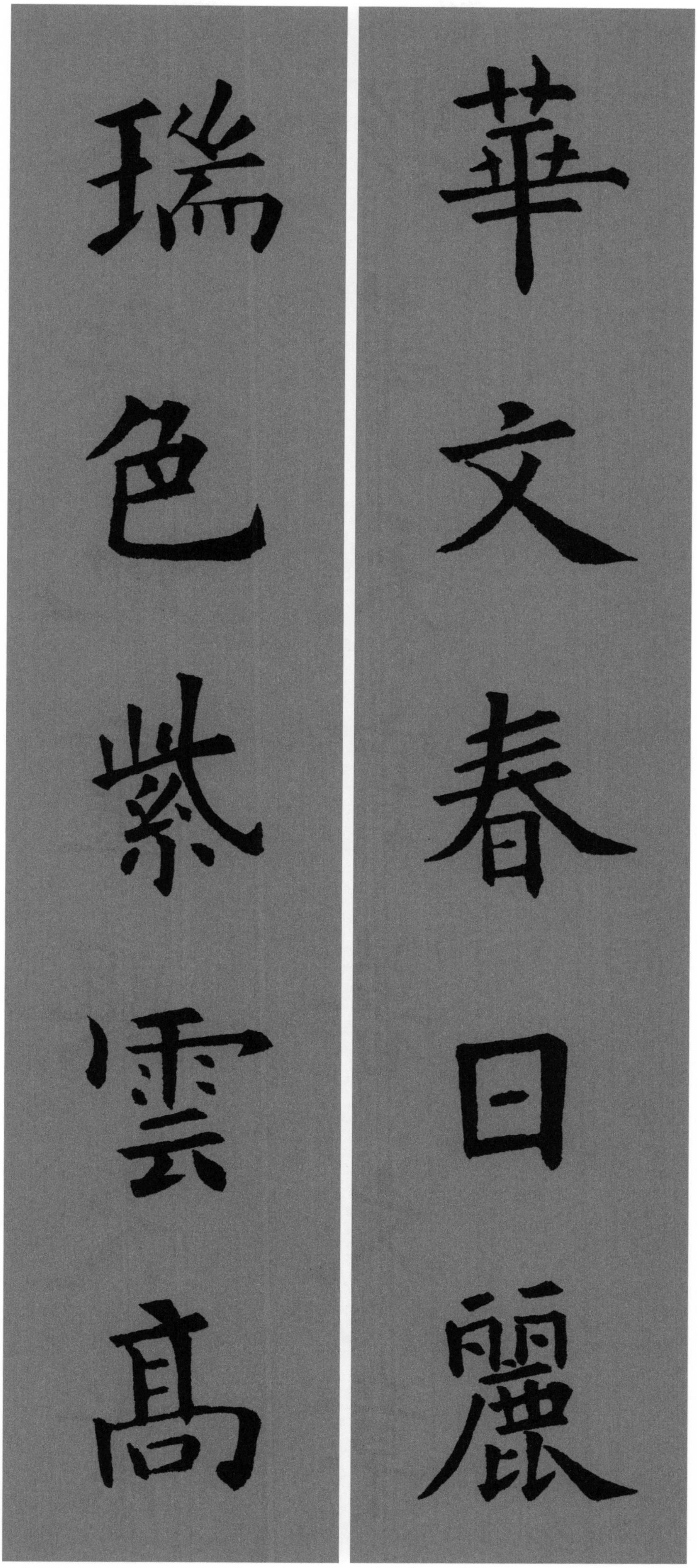

上联—华文春日丽
下联—瑞色紫云高

人傑地靈興大業

物華天寶著文章

上联——人杰地灵兴大业
下联——物华天宝著文章

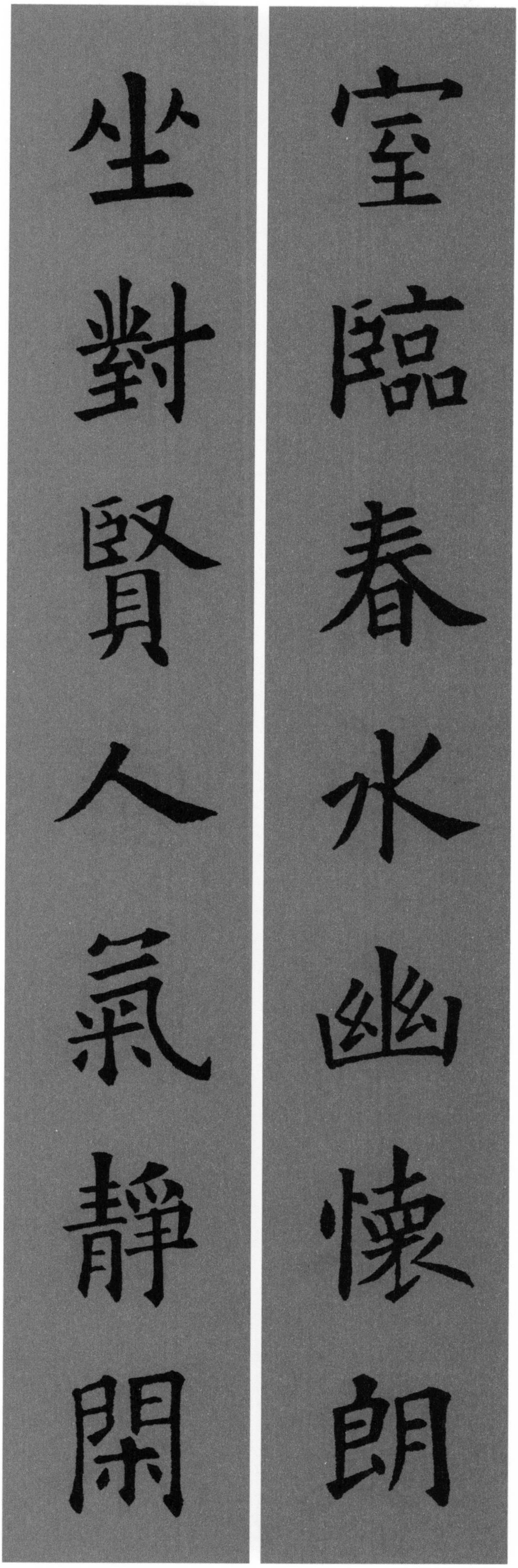
室臨春水幽懷朗
坐對賢人氣靜閑

上联—室临春水幽怀朗
下联—坐对贤人气静闲

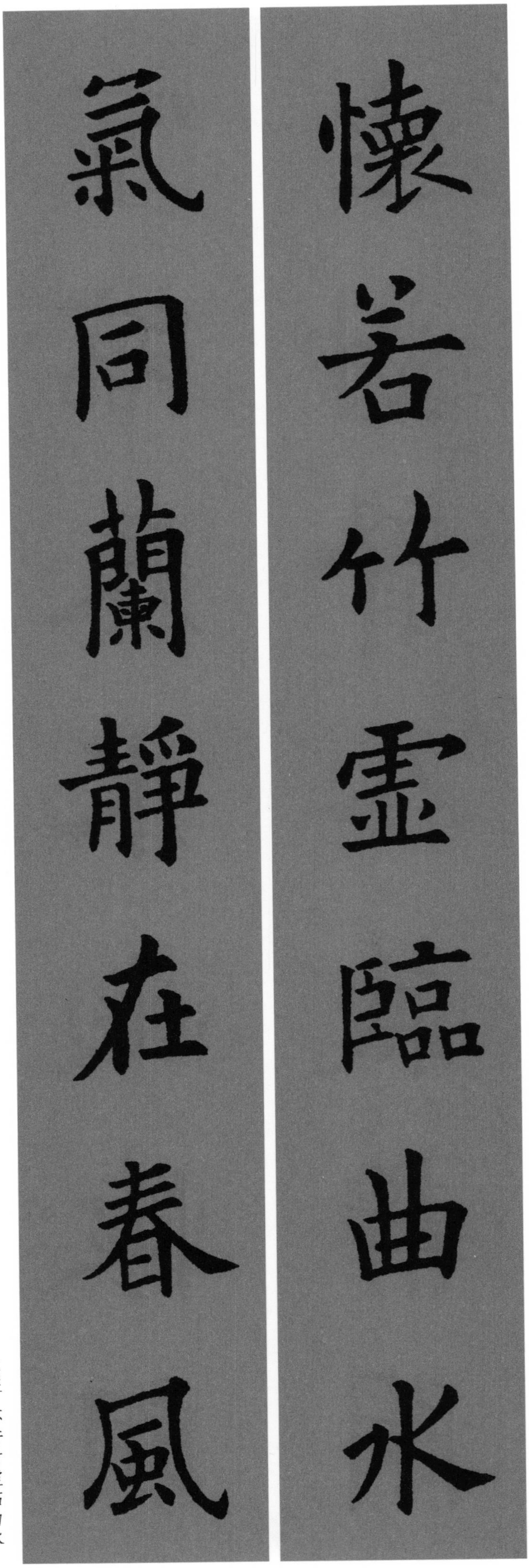

上联一 怀若竹虚临曲水
下联一 气同兰静在春风

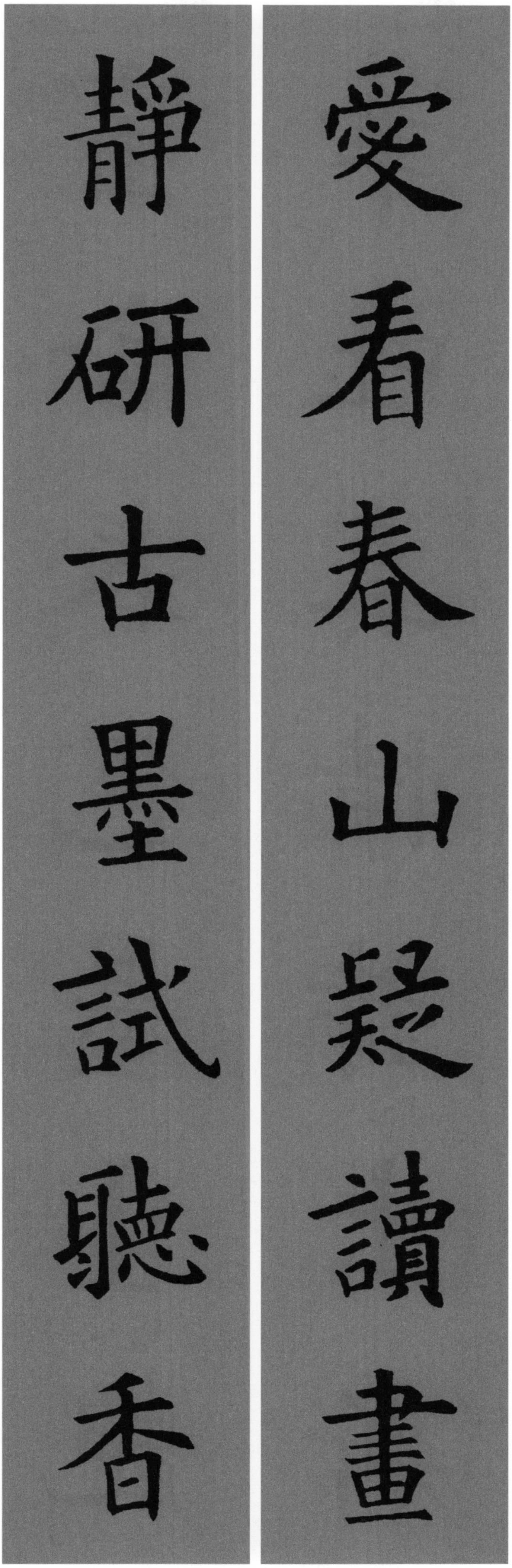

上联 — 爱看春山疑读画
下联 — 静研古墨试听香

窗含春色墨生艷

筆吐真情詩出新

上联—窗含春色墨生艳
下联—笔吐真情诗出新

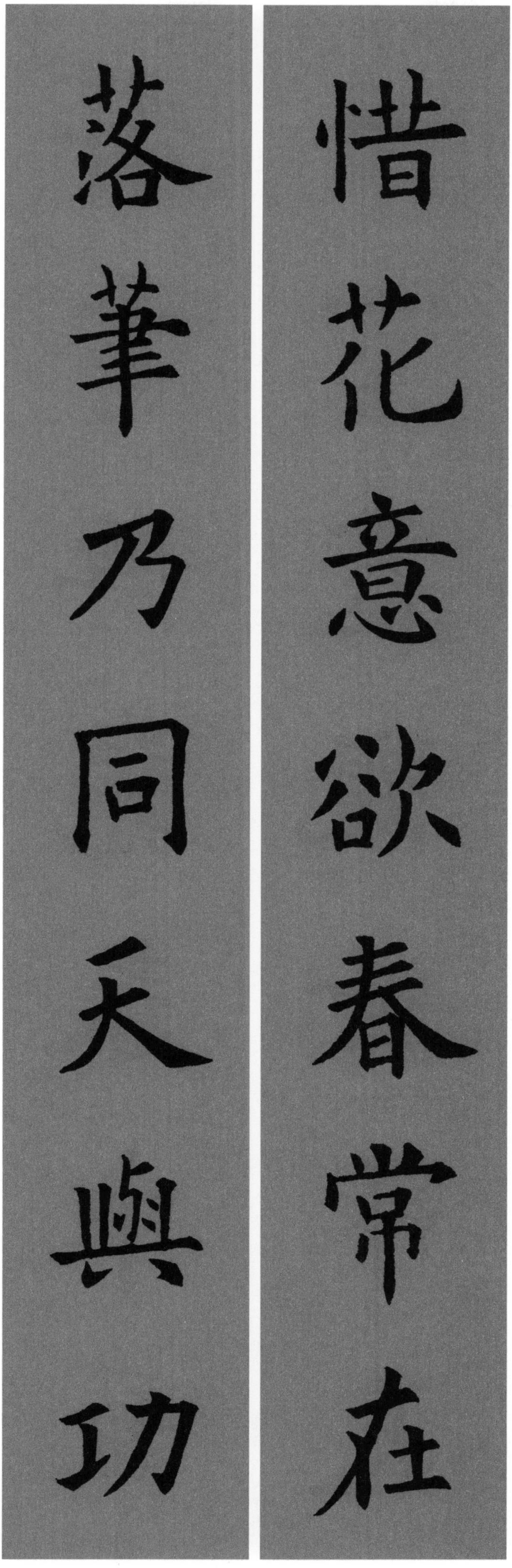

上联 — 惜花意欲春常在
下联 — 落笔乃同天与功

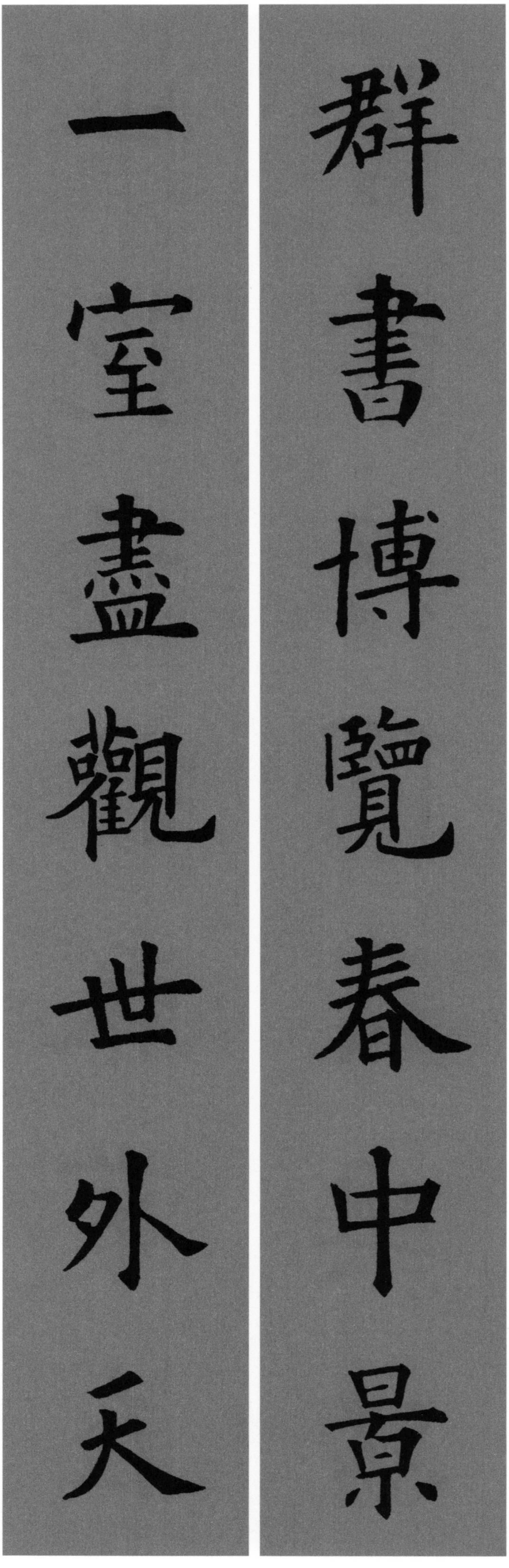
群書博覽春中景
一室盡觀世外天

上联　群书博览春中景
下联　一室尽观世外天

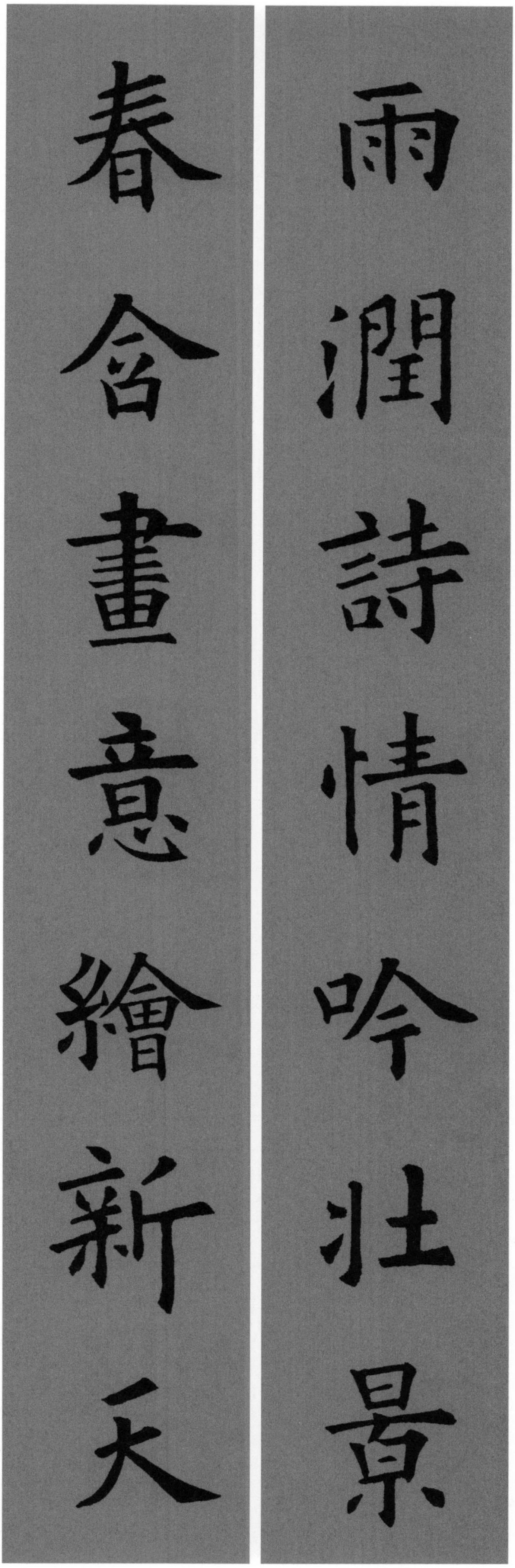

上联 雨润诗情吟壮景
下联 春含画意绘新天

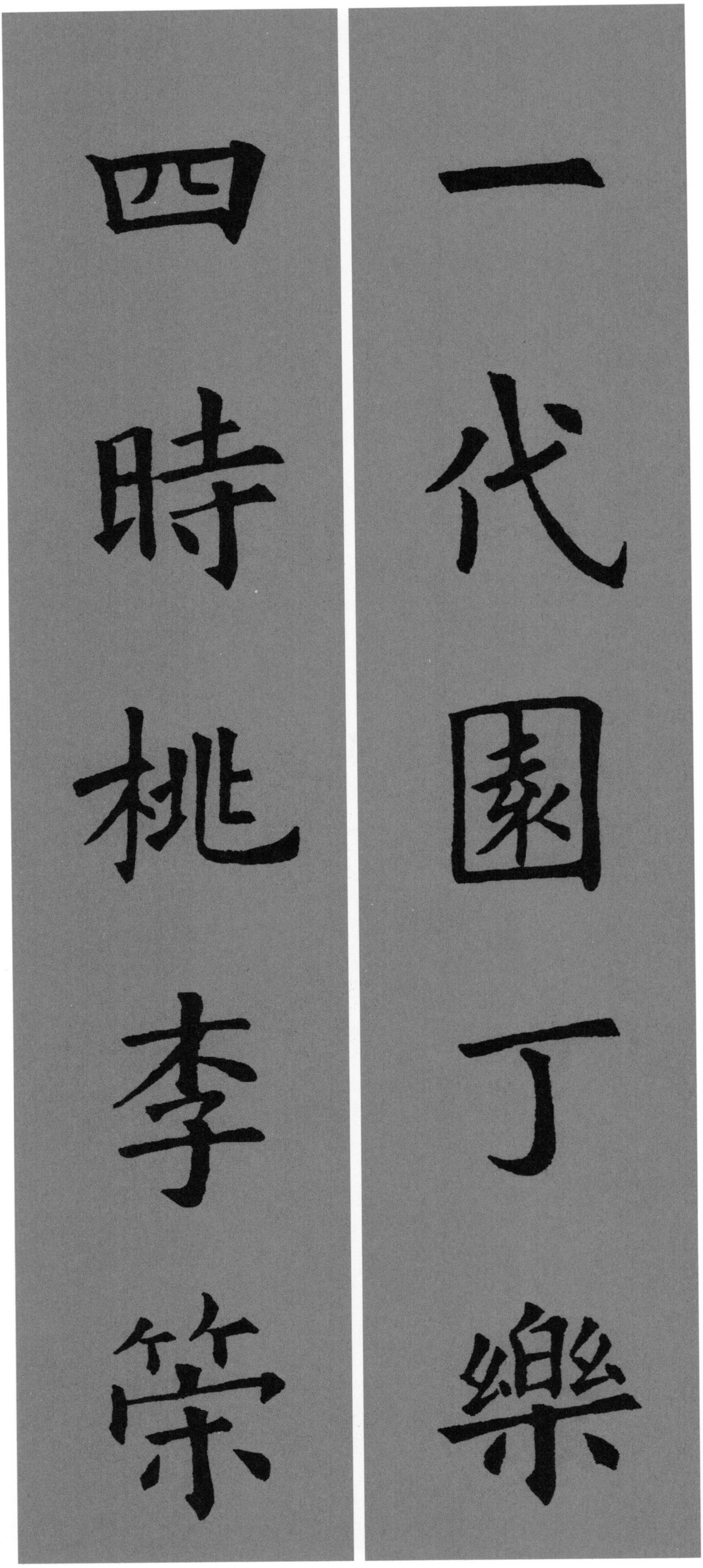

上联—一代园丁乐
下联—四时桃李荣

生產勤為本

建設儉居先

上联—生产勤为本
下联—建设俭居先

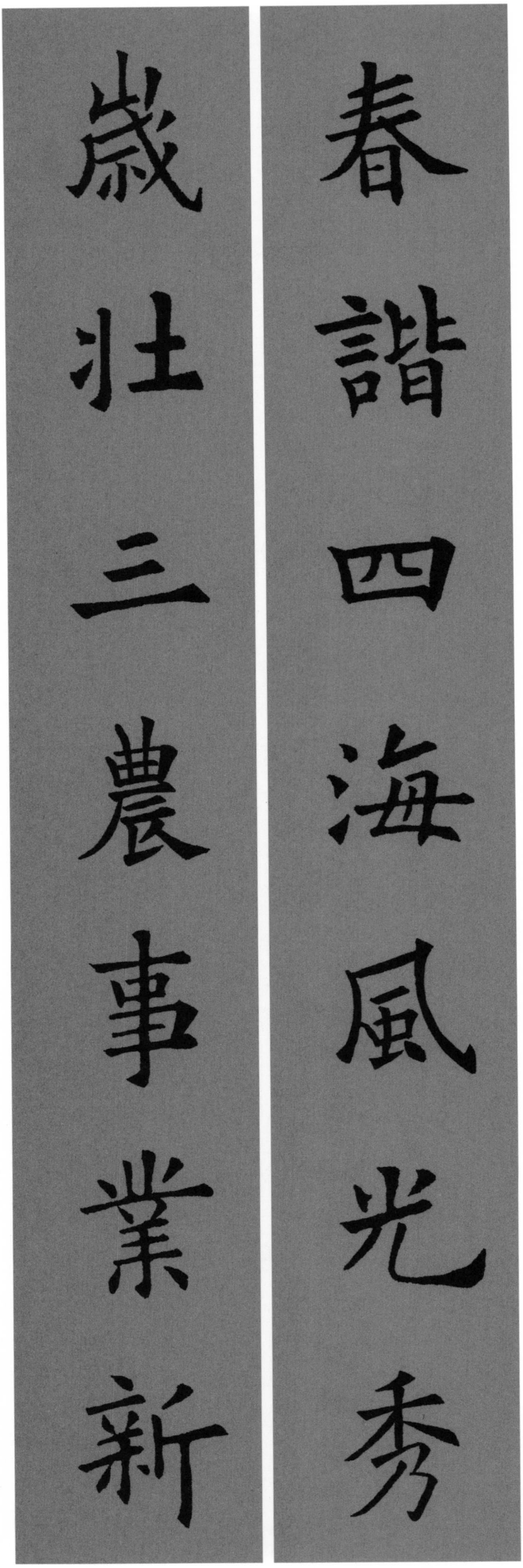

上联—春谐四海风光秀
下联—岁壮三农事业新

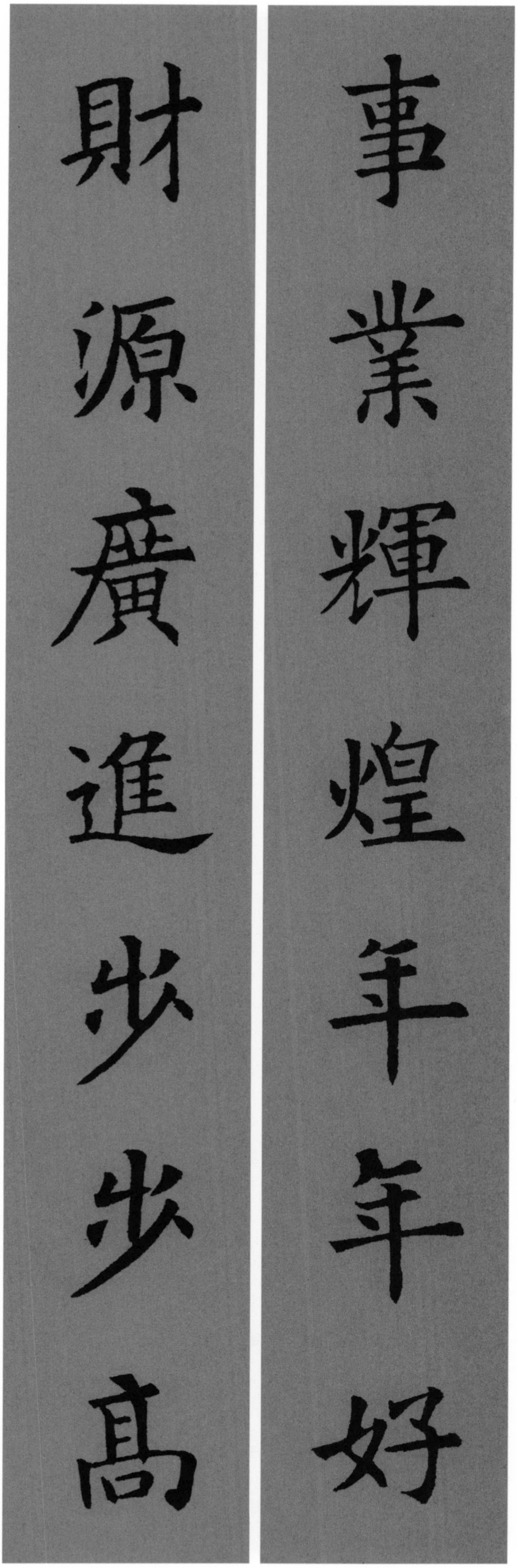
事業輝煌年年好
財源廣進步步高

上联—事业辉煌年年好
下联—财源广进步步高

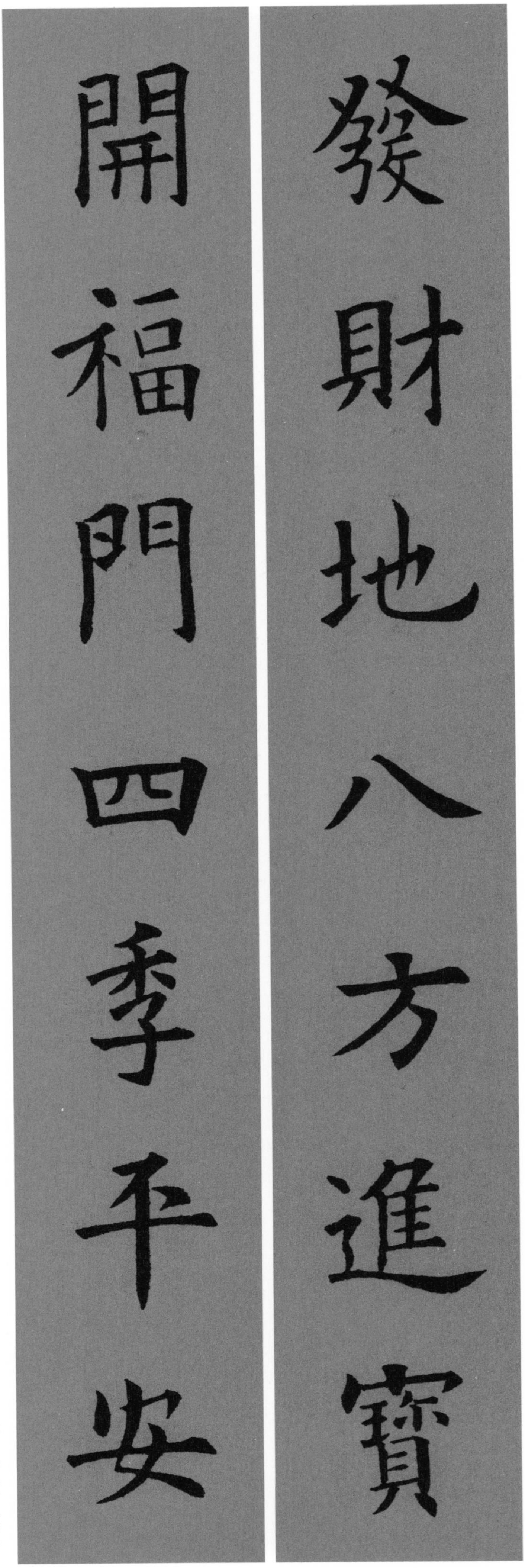
發財地八方進寶
開福門四季平安

上联一 发财地八方进宝
下联一 开福门四季平安

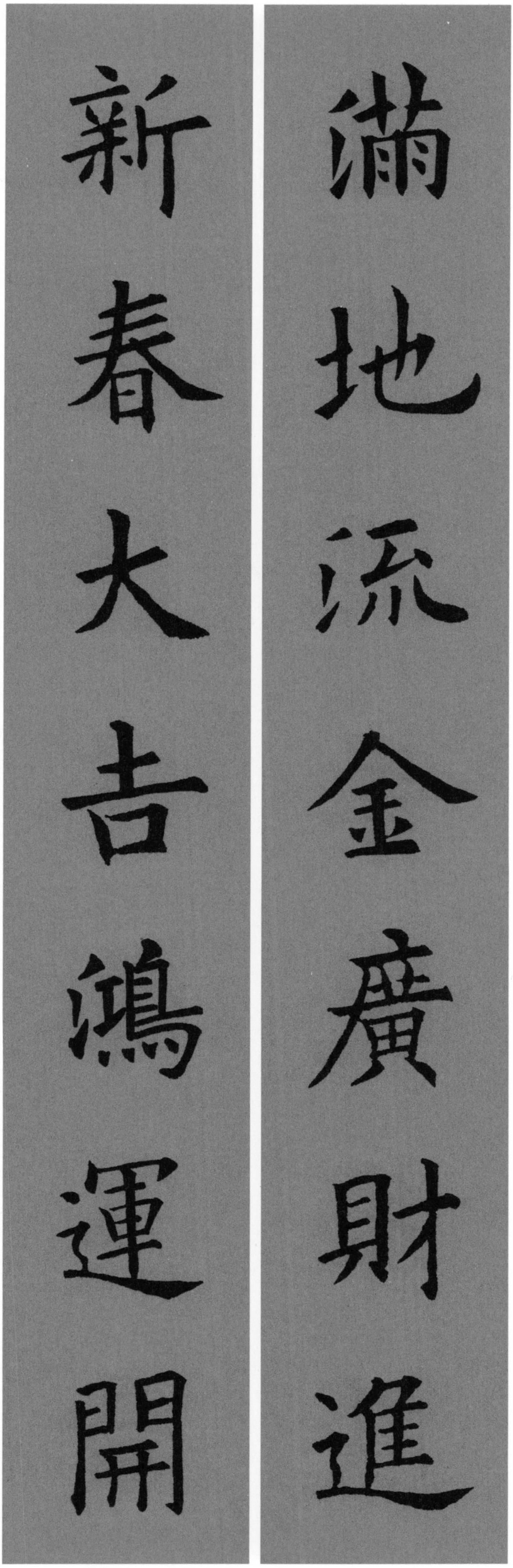

上联—满地流金广财进
下联—新春大吉鸿运开

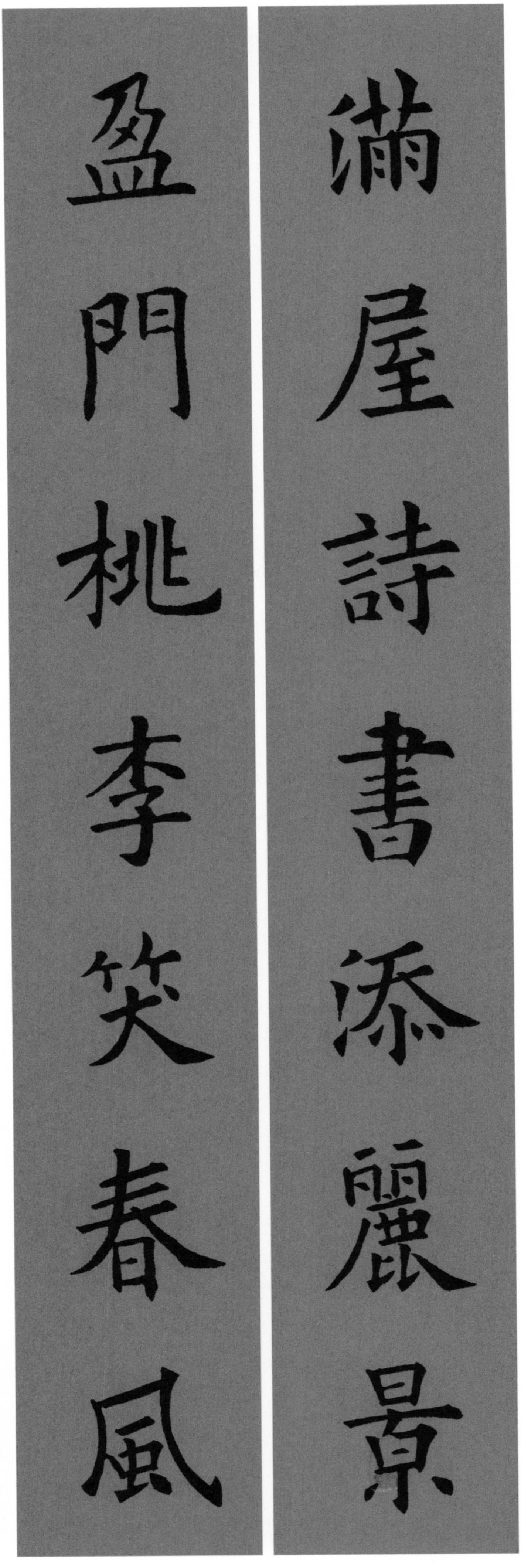

上联— 满屋诗书添丽景
下联— 盈门桃李笑春风

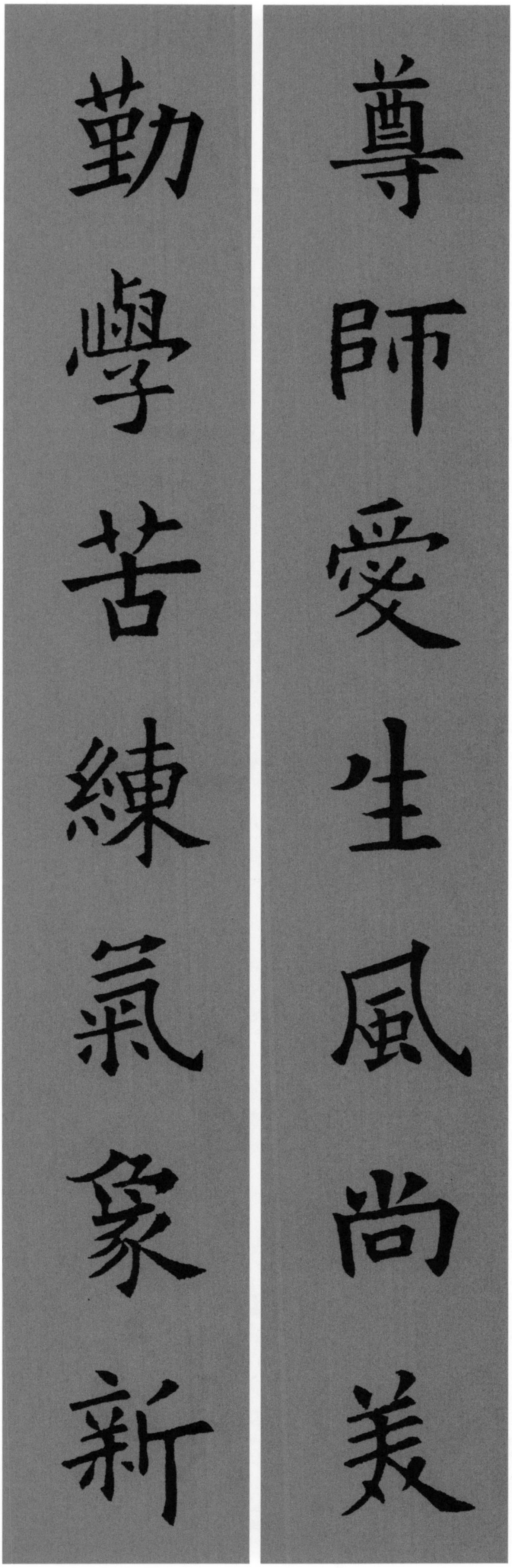
尊師愛生風尚美
勤學苦練氣象新

上联—尊师爱生风尚美
下联—勤学苦练气象新

上联—红日千秋照
下联—神州万载春

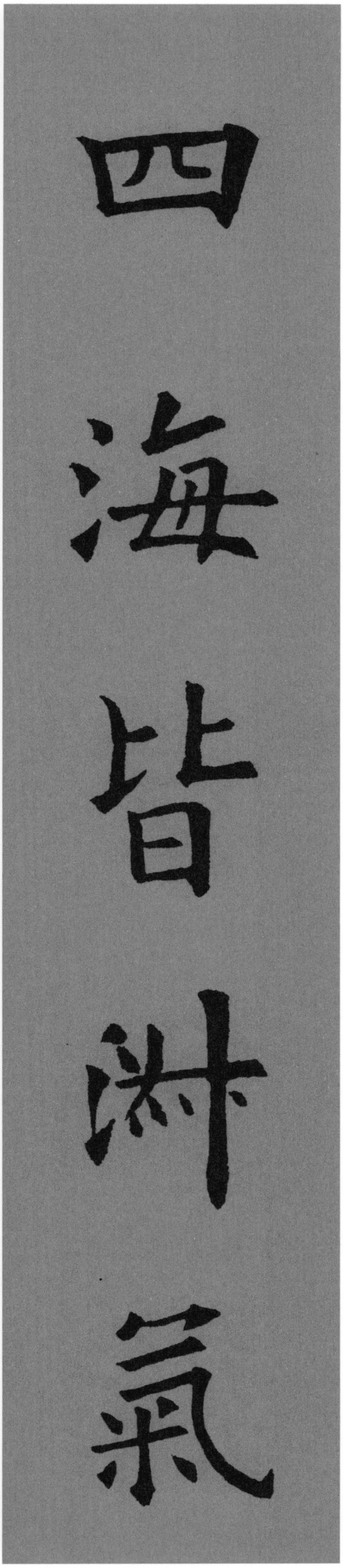

上联 四海皆淑气
下联 九州尽春晖

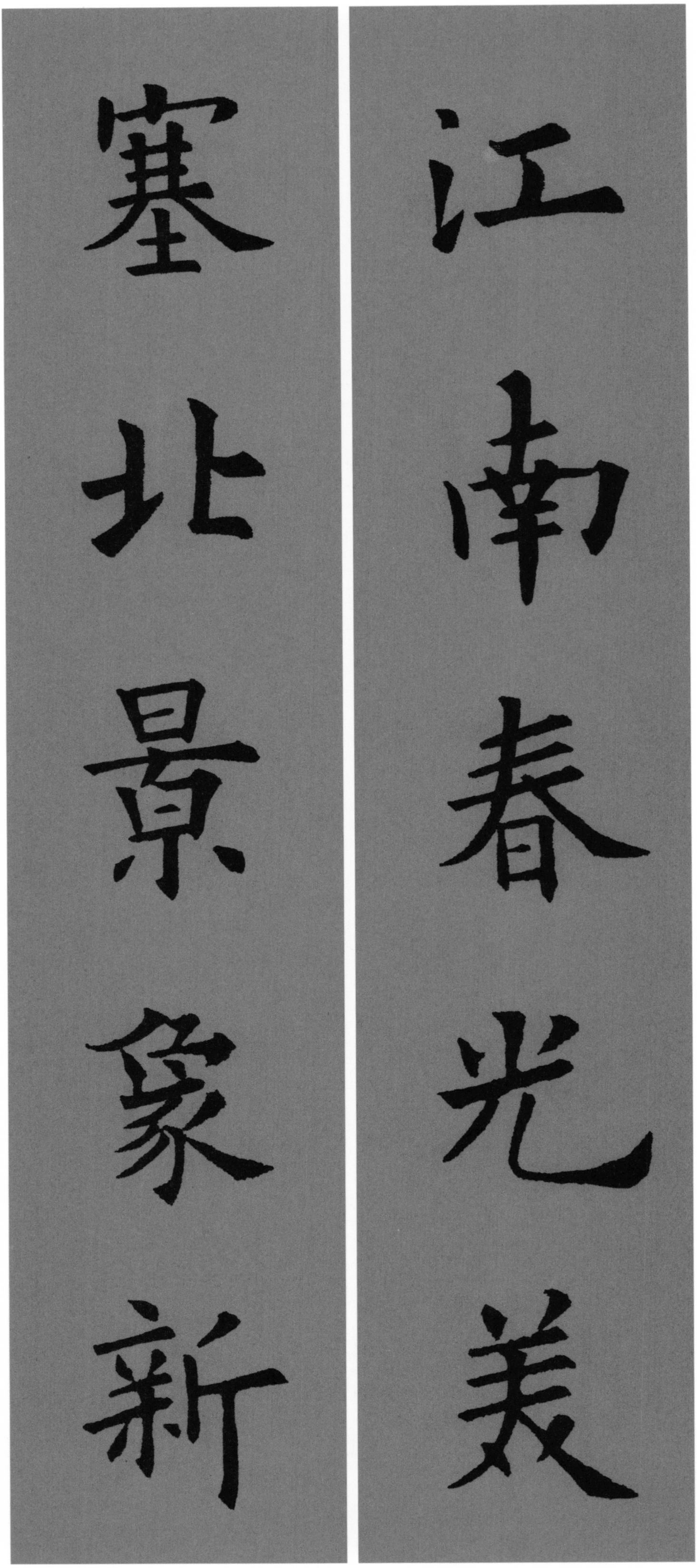

上联—江南春光美
下联—塞北景象新

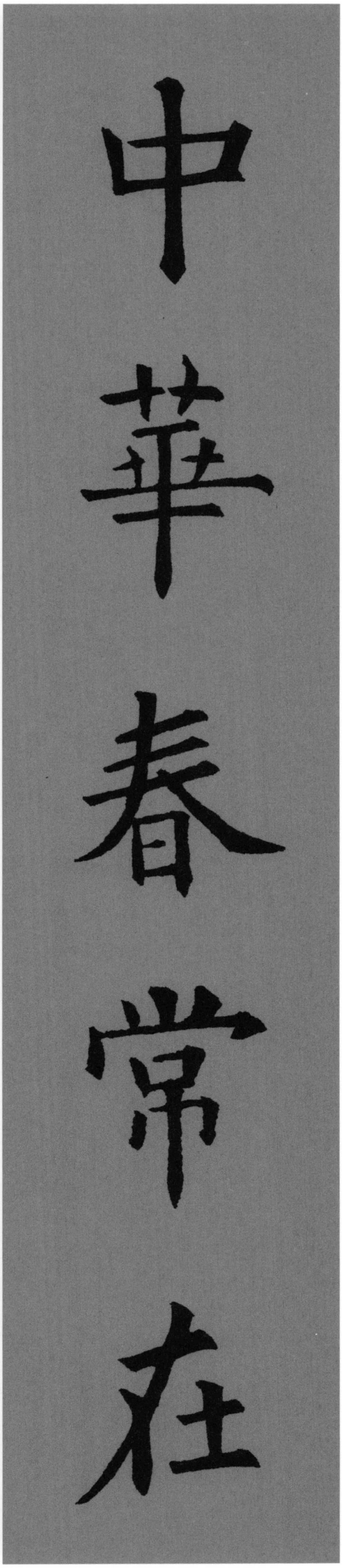

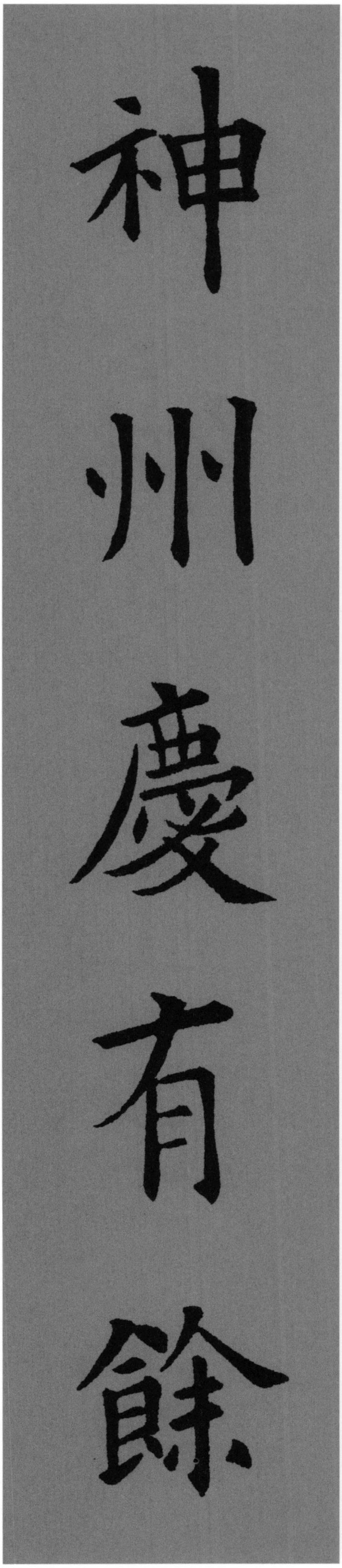

上联—中华春常在
下联—神州庆有余

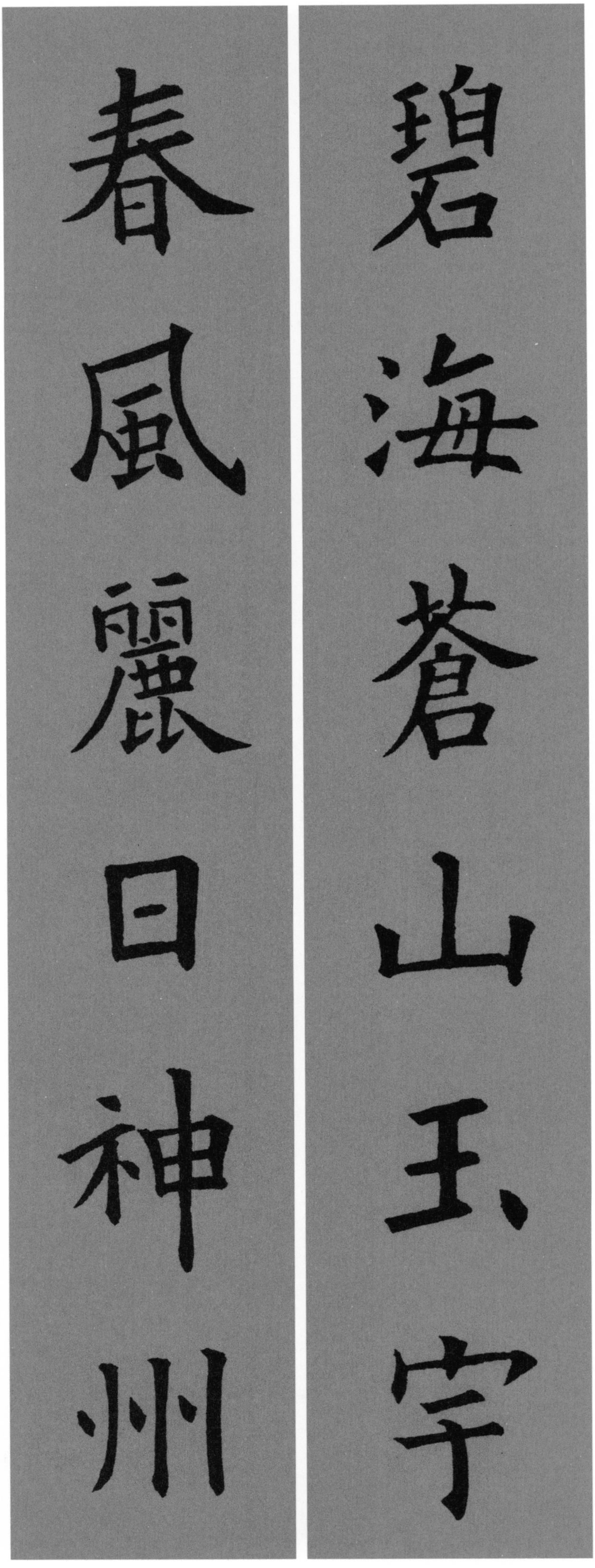

上联—碧海苍山玉宇
下联—春风丽日神州

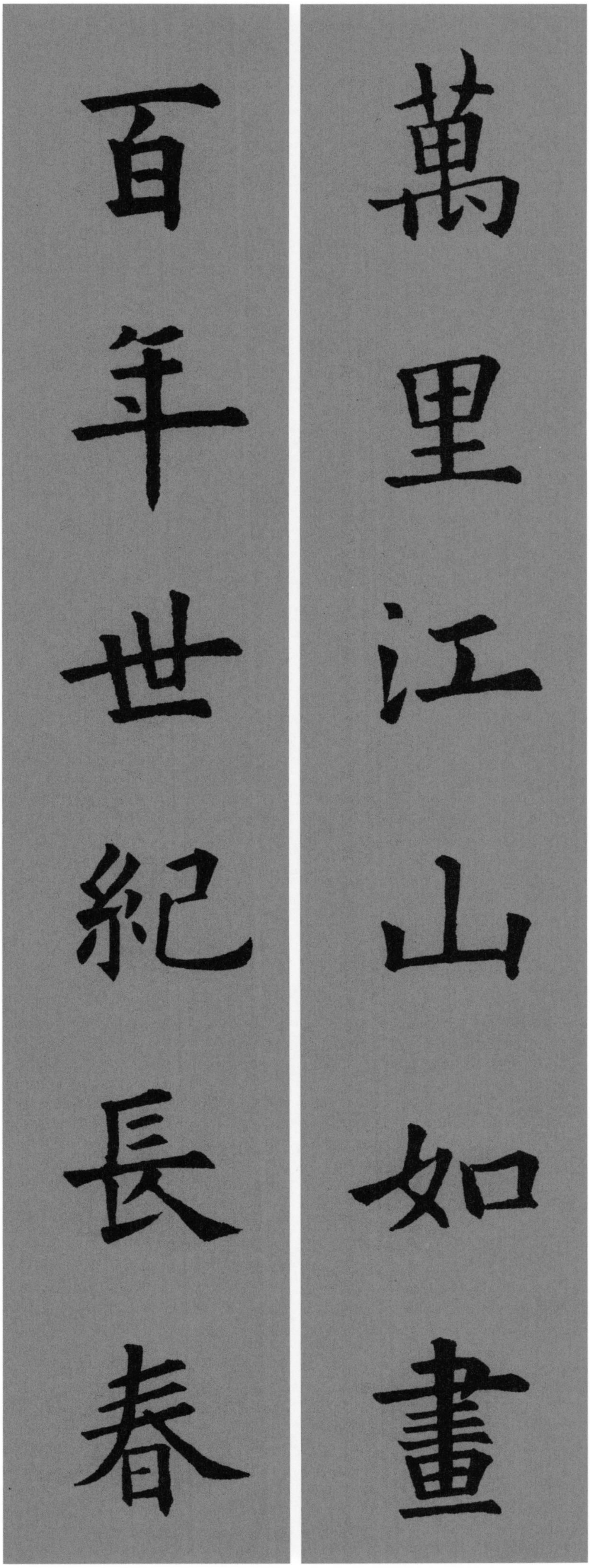
萬里江山如畫
百年世紀長春

上联一 万里江山如画
下联一 百年世纪长春

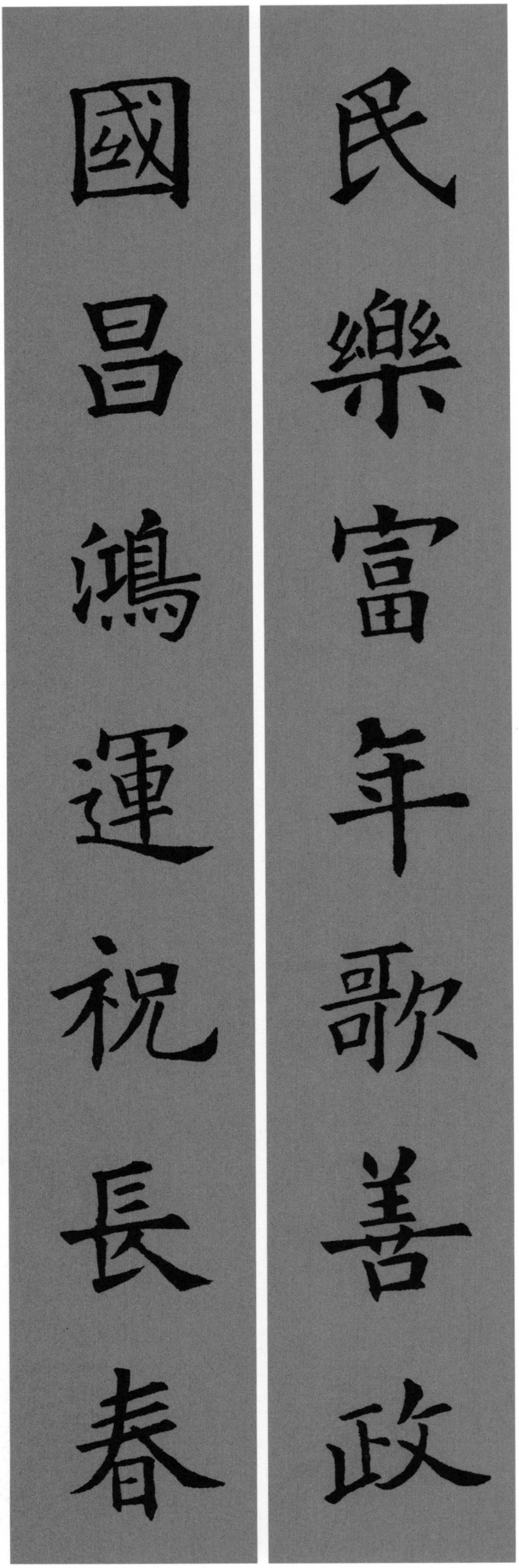
民樂富年歌善政
國昌鴻運祝長春

上联—民乐富年歌善政
下联—国昌鸿运祝长春

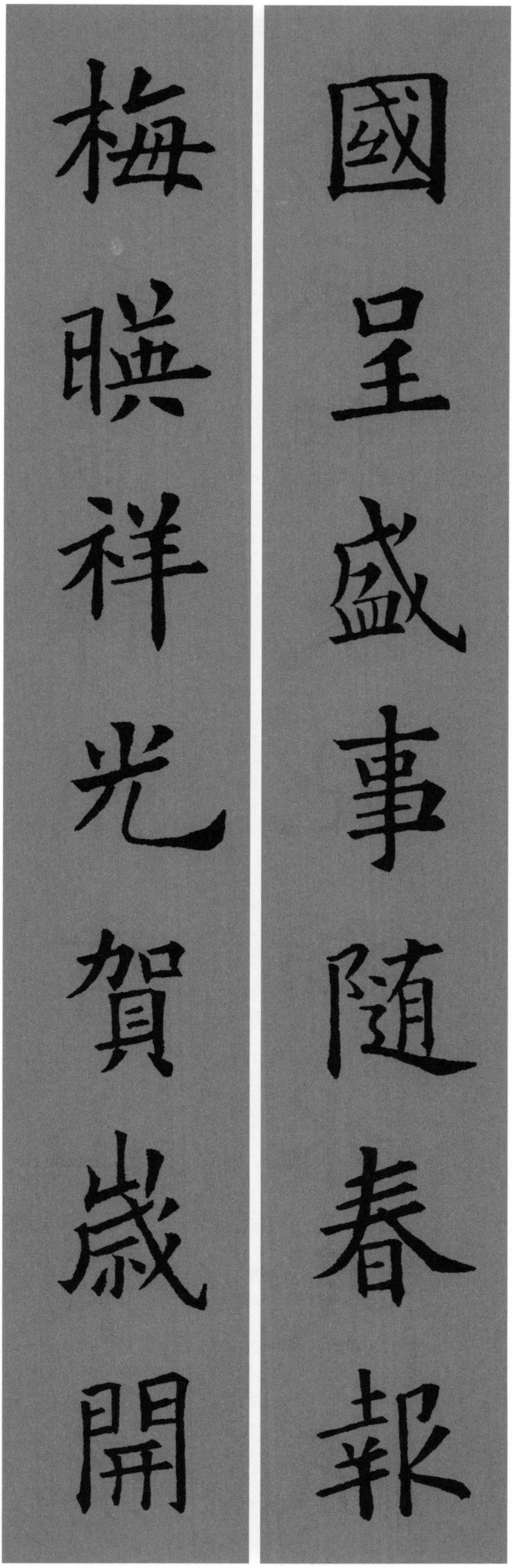
國呈盛事隨春報
梅暎祥光賀歲開

上联 国呈盛事随春报
下联 梅映祥光贺岁开

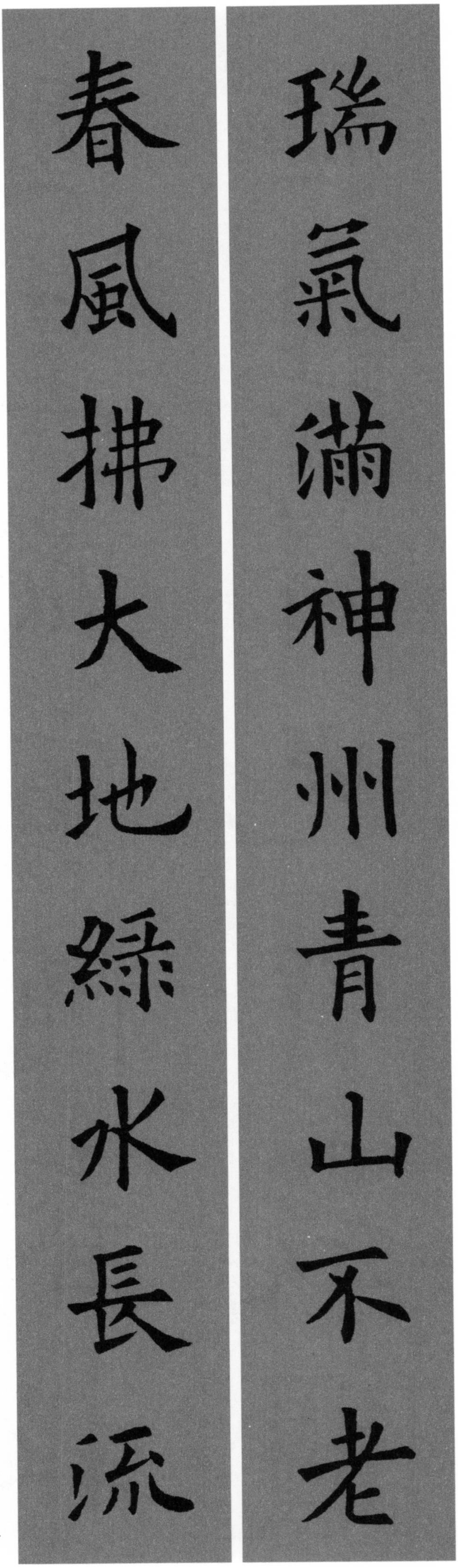
瑞氣滿神州青山不老
春風拂大地綠水長流

上联—瑞气满神州青山不老
下联—春风拂大地绿水长流

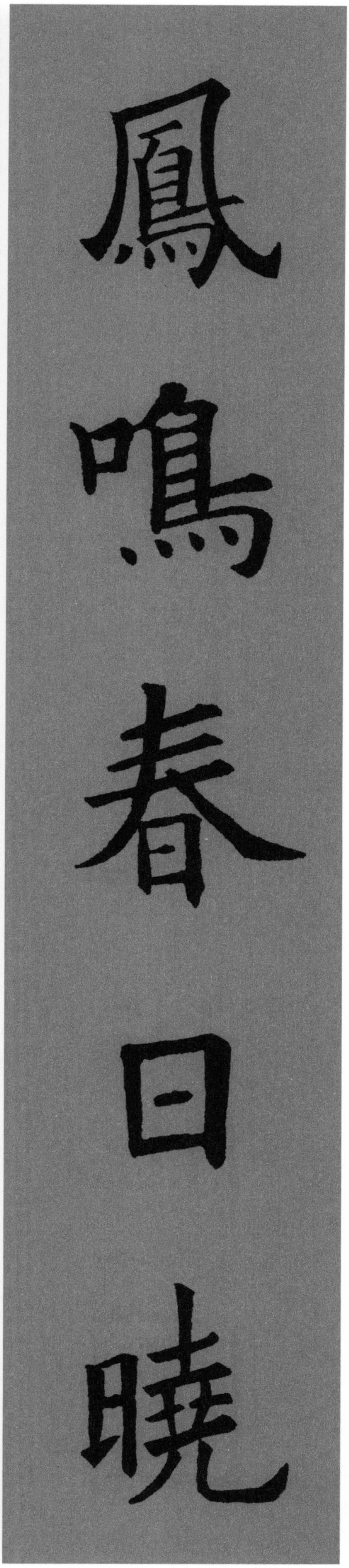

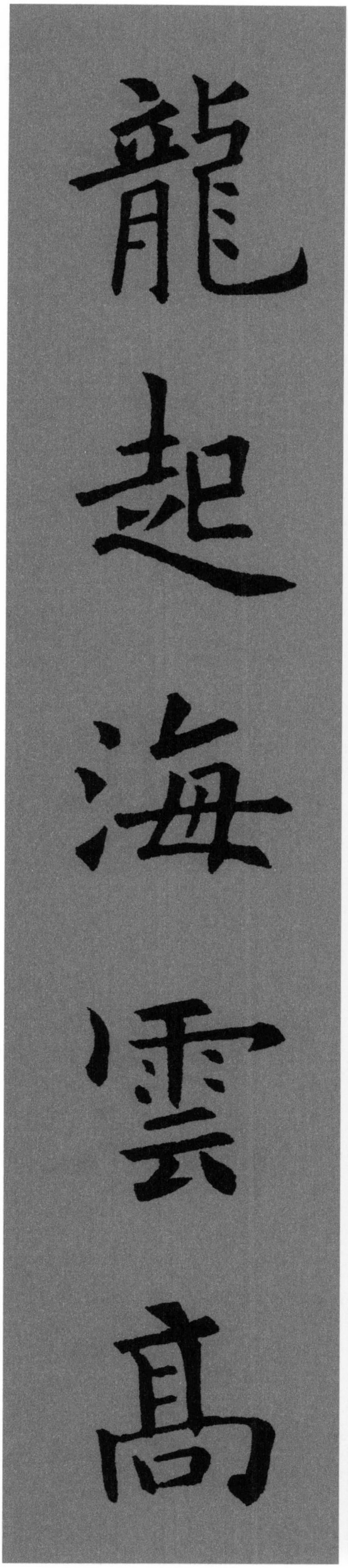

上联：凤鸣春日晓
下联：龙起海云高

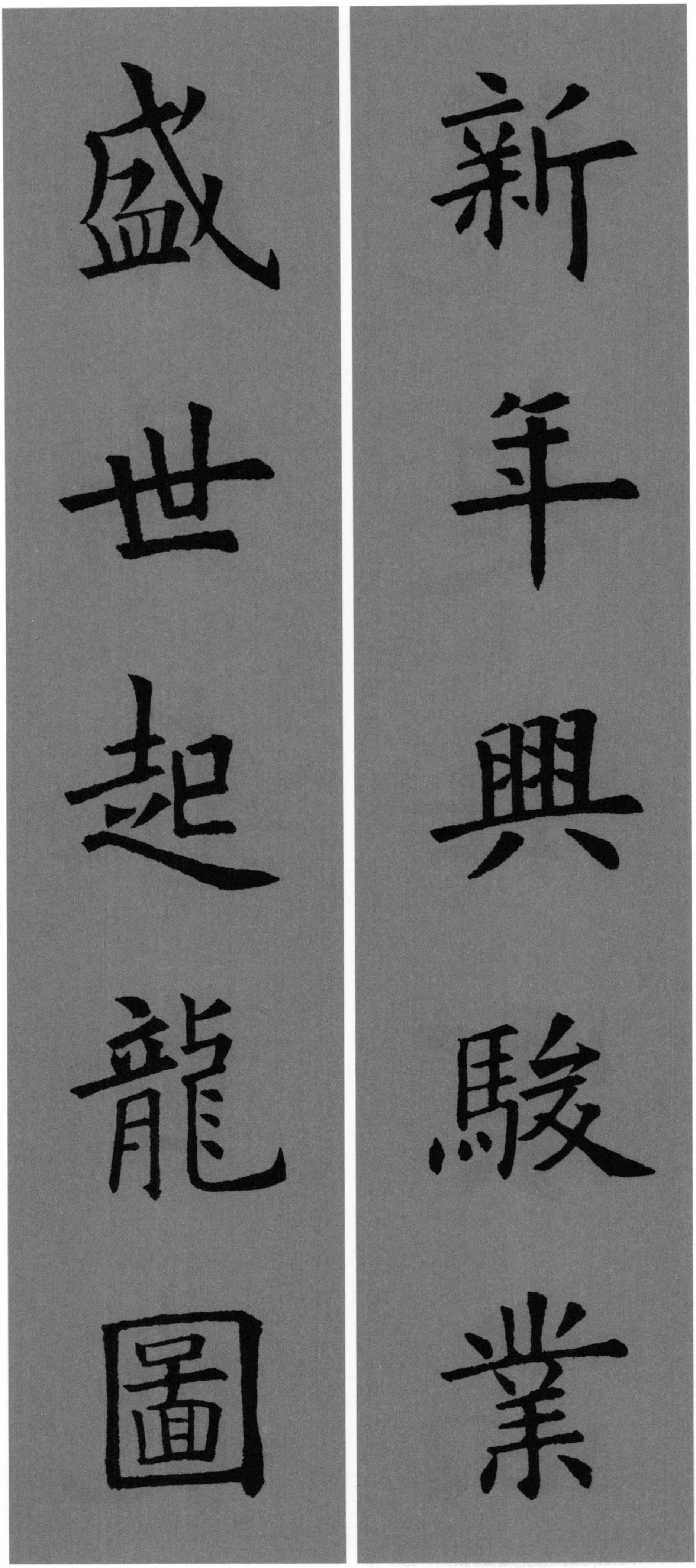

上联—新年兴骏业
下联—盛世起龙图

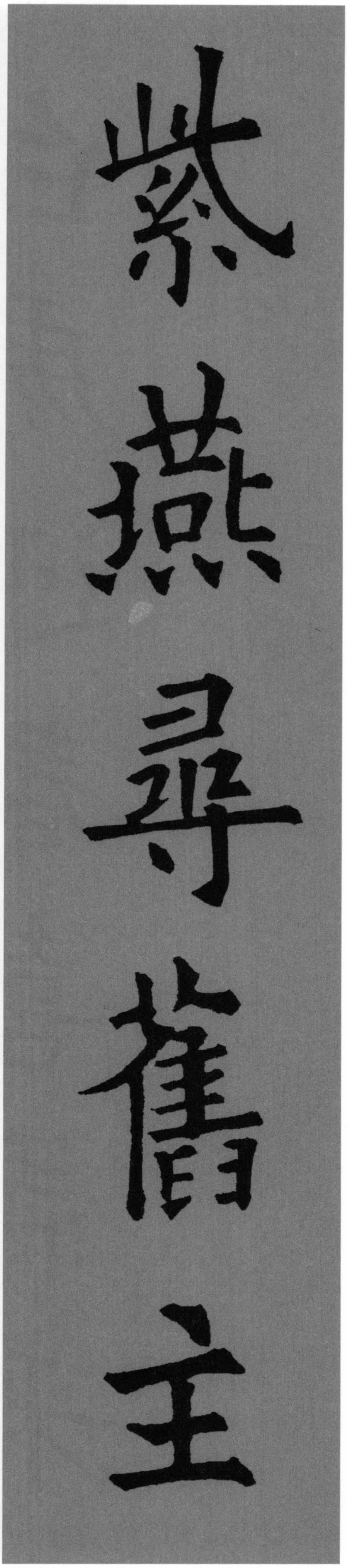

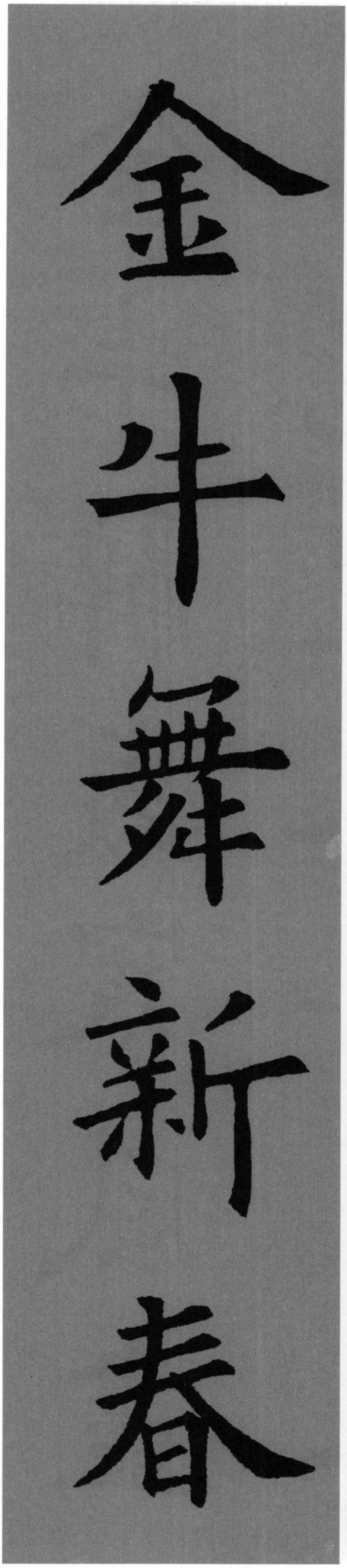

上联——紫燕寻旧主
下联——金牛舞新春

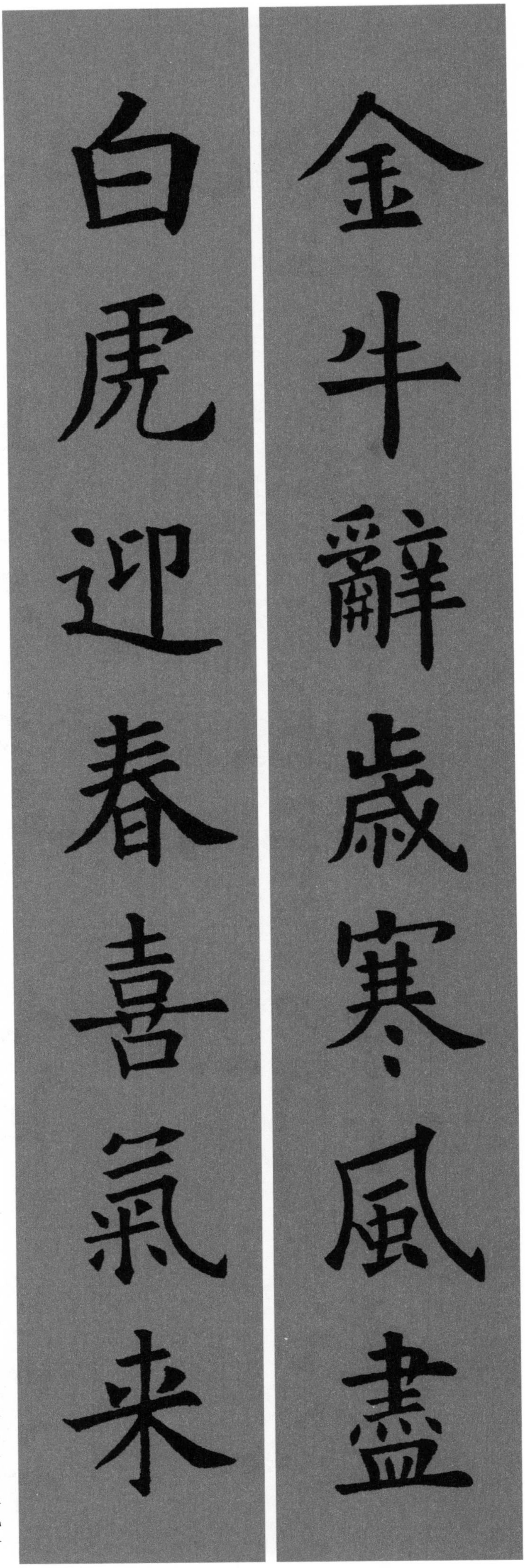
金牛辭歲寒風盡
白虎迎春喜氣来

上联一 金牛辞岁寒风尽
下联一 白虎迎春喜气来

上联—玉兔呈祥家家乐
下联—金龙兆瑞步步高

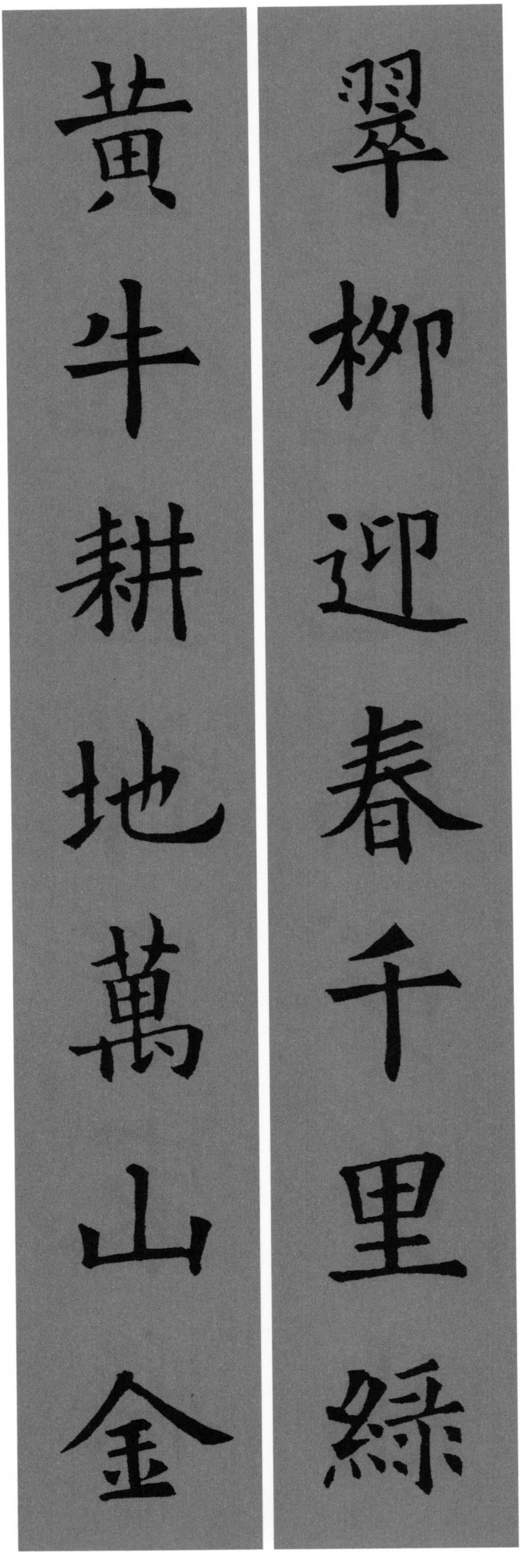

上联—翠柳迎春千里绿
下联—黄牛耕地万山金

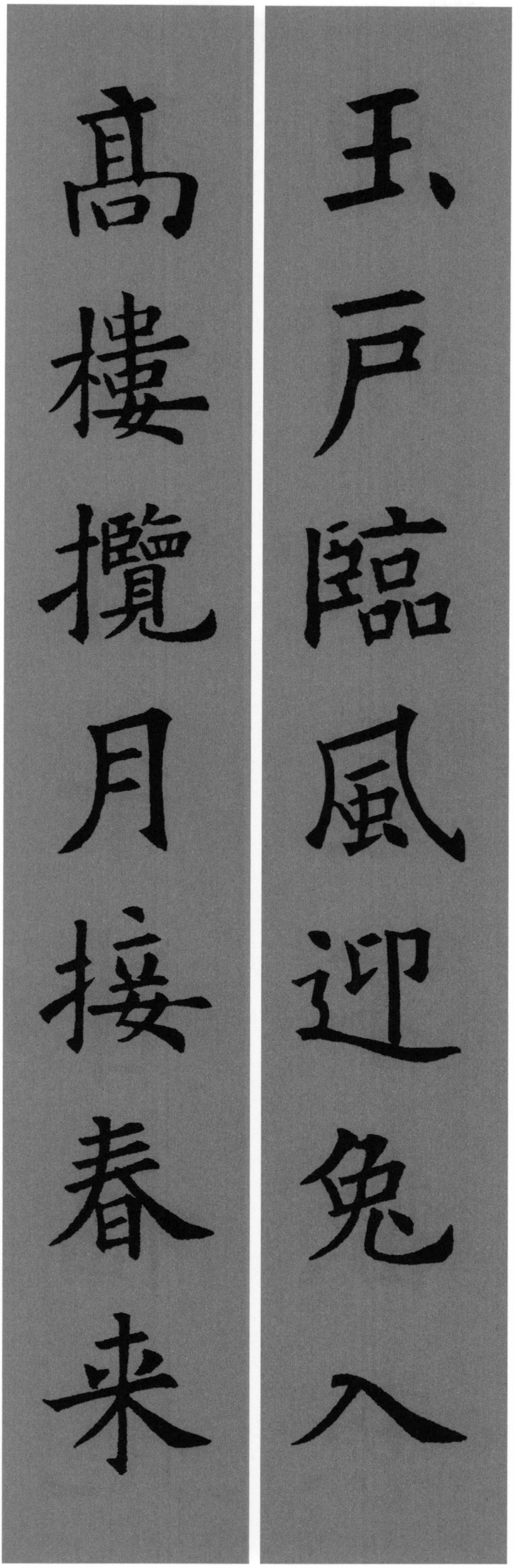

上联：玉户临风迎兔入
下联：高楼揽月接春来

耕者有牛皆福地

神州無處不歡歌

上联—耕者有牛皆福地
下联—神州无处不欢歌

送虎歲共慶山河壯

迎兔年齊歌業績新

上联—送虎岁共庆山河壮
下联—迎兔年齐歌业绩新

馬步長風隨遠景江山好

羊開盛世依十里杏花紅

上联｜马步长风随远景江山好
下联｜羊开盛世依十里杏花红

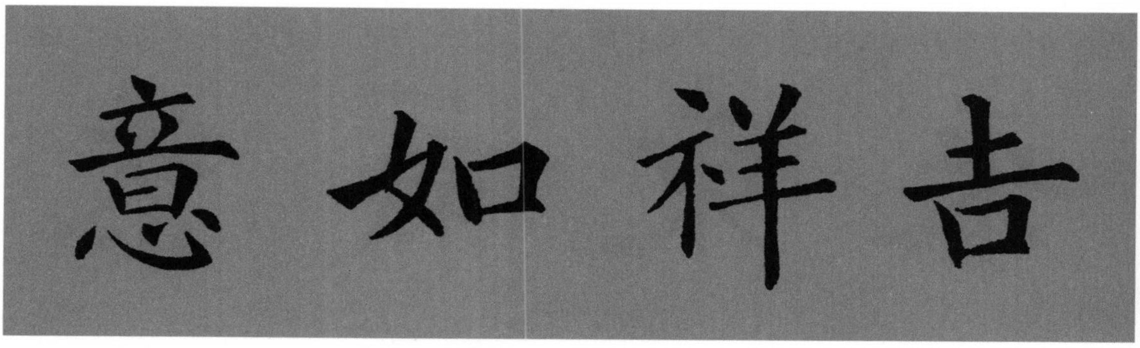

横披| 吉祥如意

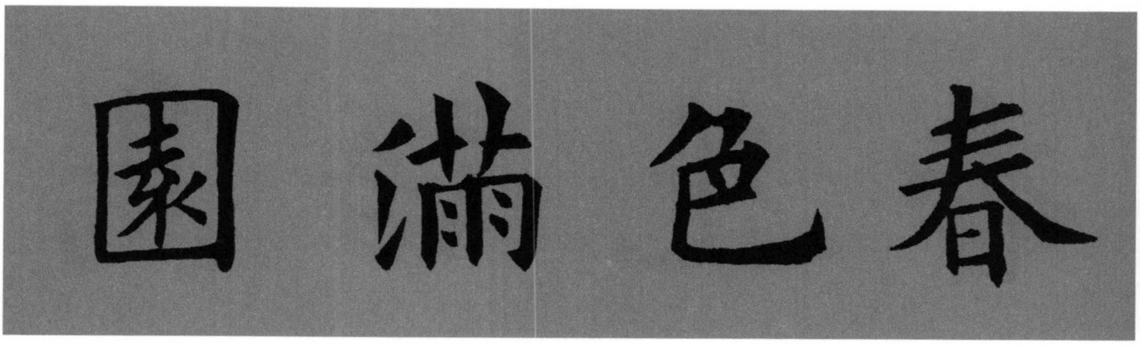

横披| 春色满园

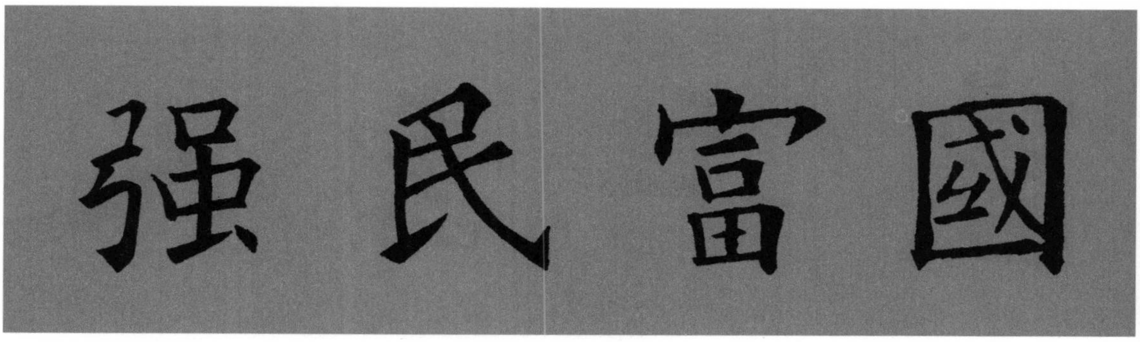

横披| 国富民强

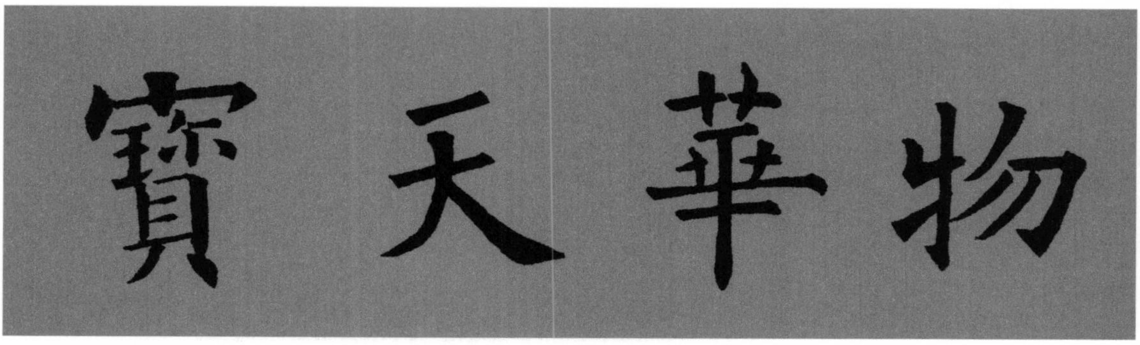

横披| 物华天宝

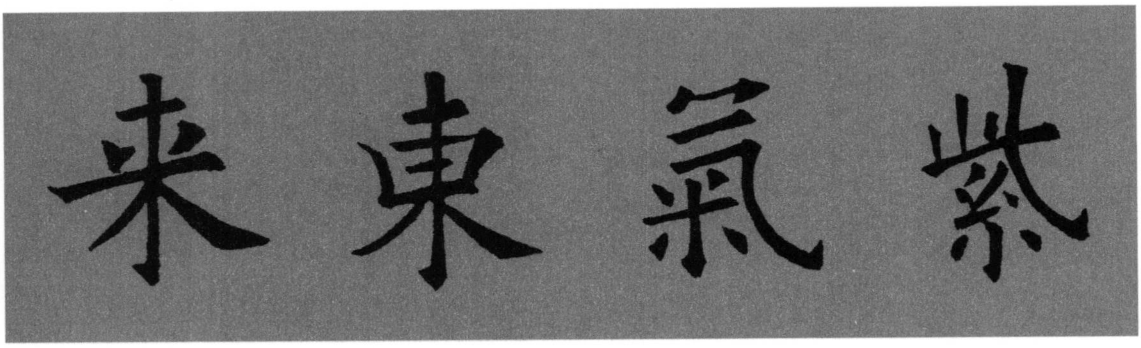

横披｜ 紫气东来

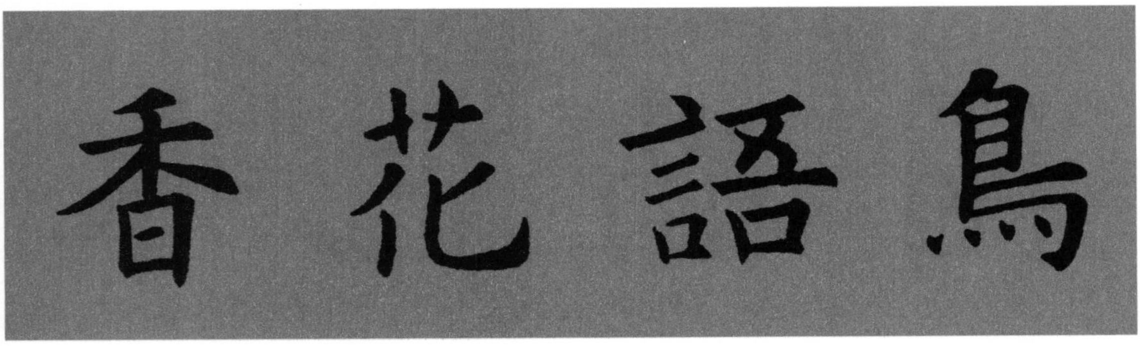

横披｜ 鸟语花香

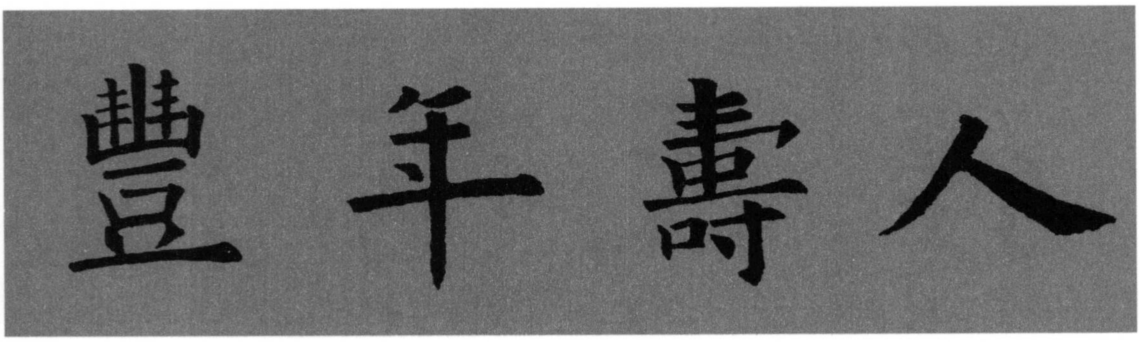

横披｜ 人寿年丰

小贴士

通用——万象更新、春迎四海、一元复始、春满人间、万象呈辉、瑞气盈门、万事如意；
丰收——五谷丰登、风调雨顺、时和岁丰、物阜民康、雪兆年丰、春华秋实、吉庆有余；
福寿——福乐长寿、五福齐至、紫气东来、寿山福海、益寿延年、福缘善庆、福寿康宁；
文化——惠风和畅、千祥云集、鸟语花香、日月生辉、瑞气氤氲、正气盈门、江山如画；
行业——百花齐放、业精于勤、业广惟勤、万事如意、千秋大业；
爱国——振兴中华、江山多娇、大好河山、气壮山河、瑞满神州、祖国长春；
生肖——闻鸡起舞、灵猴献瑞、龙腾虎跃、龙兴华夏、万马争春。

图书在版编目(CIP)数据

欧阳询楷书集字春联/沈菊编.--上海:上海书画出版社,2016.12
(春联挥毫必备)
ISBN 978-7-5479-1370-3
Ⅰ.①欧… Ⅱ.①沈… Ⅲ.①楷书-法帖-中国-唐代
Ⅳ.①J292.24

中国版本图书馆CIP数据核字(2016)第283813号

欧阳询楷书集字春联

春联挥毫必备

沈菊　编

责任编辑　张恒烟
审　　读　雍　琦
责任校对　郭晓霞
技术编辑　包赛明

出版发行　上海世纪出版集团
　　　　　上海书画出版社
地址　上海市闵行区号景路159弄A座4楼
邮政编码　201101
网址　www.shshuhua.com
E-mail　shcpph@163.com
制版　上海文高文化发展有限公司
印刷　浙江海虹彩色印务有限公司
经销　各地新华书店
开本　690×787　1/8
印张　10
版次　2016年12月第1版　2022年10月第9次印刷
印数　32,351-35,150

书号　ISBN 978-7-5479-1370-3
定价　35.00元